La Prison :
une machine à tuer ?

François Sammut
Pierre Lumbroso
Christian Séranot

La Prison : une machine à tuer ?

Un pénitentiaire et un avocat en colère !

Un pavé dans la mare

Collection *Un pavé dans la mare* dirigée
par Christian Séranot,
avec la collaboration d'Aline Sauron

ISBN 2 268 04043 7

AVANT-PROPOS

Le souffle de la modernité

Depuis deux ans, de soulèvements de détenus en soulèvements de détenus, de journées mortes d'action en journées mortes d'action organisées par le personnel pénitentiaire, en grève, ici et là, afin d'exprimer un mal-être chronique, du retentissement obtenu par le témoignage du livre de Mme Véronique Vasseur : *Médecin chef à la prison de la Santé*, à celui qu'ont connu l'an dernier deux rapports parlementaires : *La France face à ses prisons*, et *Prisons : une humiliation pour la République*, l'univers carcéral national occupe l'avant-scène de l'actualité.

C'est pour cette raison qu'un projet de loi pénitentiaire annoncé ambitieux dans un climat électoral propice tente de redéfinir le statut des détenus, réoriente les missions des personnels et voudrait harmoniser dans la transparence et l'équité un contrôle externe des établissements pénitentiaires.

De plus, Marylise Lebranchu, l'actuel garde des Sceaux, compte bien s'appuyer sur les avis émis par un conseil mis en place depuis le mois de février 2001 (Conseil d'orientation stratégique, COS) composé de magistrats, d'avocats, d'universitaires, de surveillants, de médecins, et de membres de diverses associations.

Tous ces spécialistes s'interrogent officiellement au cours de leurs réunions sur le sens de la peine en France. **En effet, notre justice est la championne d'Europe de la durée moyenne de la détention. Ils devraient donc aspirer à créer les conditions qui permettraient de transformer la prison, afin que son rôle ne soit plus unique-**

ment celui de neutraliser et de soustraire un individu jugé dangereux de la société, mais aussi de lui faire prendre conscience des raisons pour lesquelles il a été condamné, de son devoir incontournable de réparation – de le conduire ainsi à y réfléchir, puis de l'aider à se réinsérer dans de bonnes conditions. Sanction, confrontation à des mécanismes pointus d'accompagnement et de prise en charge[1], réparation de la dette d'honneur et réinsertion, tel devrait être le cursus civique du condamné.

À l'heure où, chaque année, un nombre croissant de détenus et de surveillants se suicident dans des proportions alarmantes, à l'heure où la mort écoute aux portes des prisons françaises avant de se tapir en son sein et d'y tapiner en douce, à l'heure où dans les établissements pénitentiaires les agressions contre les personnels se multiplient et les évasions aussi, l'on peut légitimement se demander si ce conseil des sages se pose les bonnes questions.

Tenter d'apporter une contribution efficace à ce débat, tel est le but que se sont fixé les trois auteurs de ce livre, forts de leur expérience.

François Sammut, actuellement directeur technique de l'administration pénitentiaire à la maison d'arrêt Paris-la Santé, en fonction depuis trente ans. Pierre Lumbroso à l'origine du présent ouvrage, ancien collaborateur de Mes Joseph Cohen Sabban et Henri Leclerc, avocat de grande renommée, spécialisé dans les affaires pénales depuis plus de dix ans, ce qui lui a permis de vivre au quotidien les dysfonctionnements du système pénitentiaire en France. Christian Séranot, journaliste et éditeur[2].

En leur temps déjà, quelques psychiatres et psychanalystes se sont battus pour faire sortir les malades des hôpitaux psychiatriques. Ils furent d'abord raillés, moqués, mis au banc de leur profession. Pourtant, aujourd'hui, leur thèse l'a emporté et nul ne songerait à en contester le bien-fondé. Si l'on songe aux résistances qu'ils ont dû vaincre de la part des autorités leur pari n'était

---

1. Grâce à l'édification des moyens nécessaires à une réflexion sur la signification de cette sanction.
2. Pierre Lumbroso est l'auteur de *En-quête de justice* (éditions Gammaprim, 1998), il est aussi le coauteur avec Christian Séranot de *La Légitimité des juges d'instruction* (éditions du Rocher, 2001).

pas gagné d'avance. Leur bilan est en tout cas très positif de nos jours au regard des résultats.

Ce n'est pas sur des ruines que l'on bâtit des cathédrales. Au-delà de la prison à réformer, les auteurs estiment qu'il convient à un moment donné de s'en tenir à la réalité, c'est-à-dire de prendre conscience que pour 90 à 95 % des détenus en France, la prison ne sert à rien, elle serait même plutôt criminogène. Leur réflexion, après en avoir témoigné et l'avoir démontré, aura pour objet de savoir si l'on ne pourrait alors imaginer faire enfin sortir les prisonniers des établissements pénitentiaires en appliquant des sanctions réellement adaptées à leur type de délinquance. **Des sanctions à valeur ajoutée pour la société**.

Notre espoir est d'être entendus, de concourir ainsi à rénover le système pénitentiaire. Une seule ambition nous anime, celle d'être utiles à notre pays.

INTRODUCTION

- AU VIF -

De quelques considérations avant inventaire

Je m'appelle François Sammut. J'ai cinquante-quatre ans et je suis directeur technique, responsable du centre multimédia de la maison d'arrêt de Paris-la Santé.

Anonyme dans la foule, habillé en jean-baskets, j'aime déambuler le samedi dans le quartier du Marais à Paris…

J'en connais chaque recoin, chaque ruelle, chaque boutique. Il n'est pas une terrasse de café, un zinc de comptoir, une arrière-salle enfumée où je n'ai abrité mes états d'âme, heureux ou malheureux.

J'aime aussi m'asseoir sur un banc, place des Vosges. Je regarde les passants. J'observe sans être vu. Je donne à manger aux oiseaux en toute saison. L'hiver surtout, ils sont plus à l'affût…

Dans ce commerce banal les choses les plus simples deviennent exceptionnelles. J'en ai bien besoin, moi qui me suis transformé depuis trente ans en otage volontaire de la prison qui me nourrit.

Eh oui ! Je passe ma semaine au 42, rue de la Santé et, le samedi, j'observe le monde qui m'entoure avec l'émerveillement d'un condamné qu'on viendrait de libérer.

Je ne suis pas dupe, je sais que ce livre ne va rien changer, que les personnels et les détenus, dont le sort est étrangement lié, continueront à suffoquer, à manquer d'air dans nos prisons viciées. Mes amis Pierre Lumbroso et Christian Séranot sont plus optimistes que moi, surtout Christian. Ils m'incitent à avoir un peu plus confiance dans le genre humain, à défaut de croire aux vertus du service public. Ils n'y ont pas été de mainmorte pour me convaincre. Mais ce ne sont pas tant leurs arguments affectifs et moraux qui ont emporté ma décision, que leur enthousiasme.

J'écris avec eux pour retrouver mon souffle. Trente ans de pénitentiaire n'ont cependant pas réussi à me garrotter tout à fait. Me voilà à la tête d'une solide expérience, avec des désillusions à la pelle et une envie d'en découdre heureusement intacte, même si tout me semble perdu fors l'honneur comme on dit.

J'aime tordre les mots pour qu'ils exsudent leur part d'ombre. Je m'en méfie. Ma façon à moi de rester lucide. Je leur préfère les actes. Mais parfois leur bon usage peut se révéler le plus efficace des actes posés. Avoir force d'engagement. Ceux qui ont travaillé à mes côtés ou qui ont gravité dans ma sphère d'influence savent qui je suis. J'ai toujours soutenu, accompagné, écouté, ces hommes et ces femmes. Surveillants et détenus sont pour moi tout autant d'individus à part entière. S'ils ont raison, ils ont raison, rien d'autre n'importe... S'ils ont tort, ils ont tort. Je ne triche pas, je ne tricherai jamais. Je ne manipule pas, je ne manipulerai jamais personne, quel que soit le prix à payer.

Je suis un homme libre. Un homme de parole.

La prison, chaque mot bien pesé, est un mouroir infernal. Il n'y a pas aujourd'hui plus mauvaise école de la vie, même celle de la rue, qui y conduit des types en état de liquidation judiciaire. Que l'on ne s'y trompe pas – je préfère anticiper les mauvais procès que l'on ne manquera pas de m'intenter –, je ne suis pas l'ami des voyous. L'état d'esprit de la plupart d'entre eux, leur système de valeur, si je puis m'exprimer ainsi pour simplifier, – car leur réalité est plus complexe –, n'est pas le mien. Je les comprends, mais leur monde ne me correspond pas. Un monde de délires parfois, de fantasmes, d'argent facile, de violence, d'appât du pouvoir, de la notoriété, du sexe, d'où l'Amour avec un grand A est le plus souvent absent ou caché. Comme s'il était honteux d'aimer, de faire preuve de bons sentiments, comme si raisonner de manière saine et constructive vous classait dans la catégorie des tarés, des bouffons, des faibles. Pourtant, ils en crèvent du manque d'amour. Nous en crèverions tous à leur place, il faut bien l'admettre. Encore que simplifier autant ne rende pas compte tout à fait de la situation d'une partie de la population carcérale. Nous y reviendrons.

Non, les voyous ne me fascinent pas. Je ne pratique pas le culte de la personnalité ni celui de la mystique des mauvais garçons, mais je me garde des jugements hâtifs. Je me fie à mon flair, à mon instinct. Je prends mon temps pour décider. Je sais que nous valons par nos actes. Cet axiome sartrien, j'ai eu maintes fois l'occasion d'en vérifier la justesse. Derrière la réputation, les comportements de façade, sous la carapace, malgré les petites et grandes compromissions avec le quotidien sordide de l'univers carcéral, se tient tout l'homme, l'individu caché, qu'il soit détenu ou surveillant. Et c'est l'individu caché qui m'intéresse, le moi intime au bord de la rivière ou au cœur du volcan. Rarement montré au premier abord. Soigneusement dissimulé le plus souvent. L'écorce sous l'écorce...

Allez savoir *vraiment* pourquoi l'on se retrouve derrière les barreaux ? Bien sûr, il y a les motivations du jugement à venir ou tenu, les circonstances, l'histoire particulière, mais...

Ceux que l'on classe couramment, pêle-mêle, sous le vocable de « voyous » (de la petite à la grande délinquance, en passant par les meurtres de circonstance, occasionnels) n'ont pas tous, loin s'en faut, choisi cette voie. Je reste bien sûr convaincu qu'ils se trompent et que tout les condamne. Ce sont pour la plupart des êtres psychologiquement vulnérables, dont l'enfance fut particulièrement difficile. Pauvres, sans relations sociales, sans éducation ou presque, ces défavorisés furent dès le départ des victimes. Les prisons en sont pleines.

Ces malpartis – souvent, très souvent, des gosses d'alcooliques démissionnaires, de chômeurs, cassés par la vie –, qui pour préserver le fragile équilibre de leur famille ont accepté d'être battus car ils savaient que leur bourreau paternel ou beau-paternel se sentirait mieux et s'en prendrait moins aux autres (frères, sœurs, mères, etc.), accèdent en prison à un autre statut. De victimes, un certain nombre d'entre eux deviennent bourreaux, travestissant leur personnalité afin d'avoir enfin droit à un peu de reconnaissance, et d'être admis dans le cénacle chimérique du milieu. Ils se tatouent, se mettent à la musculation, durcissent leurs attitudes, se protégeant ainsi et acquérant le statut nécessaire pour se faire respecter par leurs compagnons de détention. Cela ne va pas sans heurts, ni casse. Les scenarii sont toujours les mêmes.

La place qu'un détenu se crée en prison, au sein de la communauté des autres détenus et même souvent auprès de celle des surveillants est la plupart du temps directement proportionnelle à la crainte qu'il suscite. Plus les autres auront peur de lui, mieux il s'assurera de son salut et d'une quiétude toute relative.

En prison, le respect se gagne par la peur qu'on inspire. Tout le monde crève de peur quel que soit le masque qu'il arbore. Cette fameuse peur ou l'un de ses épigones : l'anxiété, la crainte, l'inquiétude, l'effroi, l'appréhension, la frayeur, l'épouvante, le chantage, la coercition, la corruption… ne sont jamais loin et se manifestent de manière diverse, parfois incongrue.

Un détenu ne fait confiance à personne et marque à chacun un mépris absolu. Certains vont même jusqu'à se prostituer. Une pratique utile pour se protéger ou survivre. D'autres étudient le droit et servent de référence, car les détenus ne connaissent pas grand-chose sur leurs droits. Et ils respectent le type qui peut les aider à s'en sortir sur le plan pénal.

Les sages, du moins ceux qui passent pour tels, ceux qui ne provoquent pas, qui gardent leur calme en toute circonstance – ceux qui mettent leurs actes au diapason de leurs dires –, sont aussi écoutés, suivis, estimés ou liquidés.

Le silence impose et provoque également le respect. Ne pas balancer, n'être témoin de rien, résister… Autant de signes d'une certaine force de caractère. Car si le détenu ne fait plus peur, il devient rapidement une victime. Un esclave quelquefois. Un détenu pour lequel je suis allé récemment témoigner aux assises me racontait que lors de sa première incarcération à Fleury, il s'était fait piquer son blouson en cuir au cours de sa première promenade. Âgé d'à peine dix-huit ans, il n'avait pas hésité dès le lendemain à récupérer son bien avec force violence lors de la même sortie. De ce jour, sa réputation fut faite, son personnage incarné…

Les détenus rêvent aussi… Surtout de ne plus avoir peur dans l'univers gris de la prison où tout leur paraît malsain, jusqu'à l'air qu'ils respirent. Souvent une rencontre est déterminante. Un intervenant, une intervenante, et le ciel prend soudain des couleurs, une gamme infinie de couleurs.

Cette rencontre peut même les pousser à envisager leur présent autrement et donner un sens nouveau à chacun de leur lever en prison, à chacune de leur journée derrière les barreaux. Je le vis régulièrement au centre multimédia dont j'assure la direction. Une absence de ma part contrarie, voire affecte durablement, le quotidien des détenus qui devaient être présents. À un point tel que souvent ils demandent au surveillant d'étage de vérifier que le CRM[1] est bien fermé. Pourtant ce sont souvent des durs, des grosses peines. Mais outre les vertus pédagogiques de ce centre, les détenus y apprécient le fait de pouvoir en pousser librement la porte. Ce qu'ils ne peuvent faire nulle part ailleurs à la Santé. Je peux en témoigner, le détenu se métamorphose dans sa tentative de se montrer à la hauteur, d'être digne de la confiance qui lui est prodiguée, dans sa quête d'amour, quoi qu'il en dise.

Trente années d'expérience m'ont appris que seules deux choses sont importantes pour les détenus, l'une qu'ils cachent soigneusement, l'autre qu'ils revendiquent jusqu'à l'obsession : l'amour et la vérité, *leur* vérité.

Un prisonnier aime souvent de toute son âme, de toutes ses forces. Le manque est un puissant aiguillon qui exacerbe les passions. Un échange de lettres ne lui suffit pas, ne saurait lui suffire, pas plus que les visites au parloir. Il n'y a pas d'intimité possible en prison, pas de contact physique autorisé, les surveillants sont omniprésents, soit pour s'y opposer, soit pour jouer les voyeurs pervers.

Conséquence : les détenus font des projets d'évasion, pour ne pas devenir fous, pour conjurer la détresse, l'impitoyable frustration ou pour se la raconter. Histoire de se dire qu'ils seront bientôt près de ceux qu'ils aiment. Il arrive qu'ils passent à l'acte, très peu souvent tout de même. La presse ne manque d'ailleurs pas de relater leurs « exploits » régulièrement.

Comment, dans ces conditions, ne pas être favorable à l'établissement et à l'instauration pour tous d'unités de vie familiale prévues dans certains établissements pilotes comme Poissy ?

Je le suis.

Ce serait l'un des bons moyens de s'en sortir, d'humaniser les prisons, de les transformer plus radicalement qu'il n'y paraît. Cela faci-

1. CRM : Centre de ressources multimédia.

literait aussi le travail des surveillants. Ils se comporteraient, *nous* nous comporterions enfin – ne suis-je pas non plus, en tant que directeur technique, un fonctionnaire de l'administration pénitentiaire ? – en personnes civilisées. Ce ne serait pas trop tôt dans le pays des droits de l'homme si prompt à donner des leçons en la matière au monde entier.

Le système actuel tue les détenus et use les personnels. Ensemble, nous avons des comportements autodestructeurs. Les pratiques sportives de boxe ou de musculation ne changent rien à l'affaire, au contraire, elles participent de l'œuvre de démolition, avec ses rites, ses us et coutumes, sa fantasmagorie, ses représentations… Quant à l'exercice du travail en prison, nous le verrons, générateur d'injustice, sujet souvent à corruption, il est à réformer en profondeur.

Heureusement, malgré tout, aujourd'hui, une rencontre, une main tendue, un cœur ouvert et attentif peuvent sauver la vie de certains détenus. L'amour finit quelquefois par triompher. À deux, ensemble, il est plus facile de se battre, d'attendre, d'espérer. Les détenus ont besoin d'un entourage solide, pas de gens qui alimentent leurs peurs, leurs névroses, et finalement les affaiblissent. C'est tellement dur d'être privé de liberté, même lorsqu'on l'a amplement mérité. Il ne s'agit pas pour moi de nier ici cette réalité-là !

Seulement, la fonction de la prison ne devrait pas être de démotiver les détenus, de leur ôter toute envie de retrouver une place dans la société, ce qui pourtant s'avère dans les faits, le nombre de suicides dans les établissements pénitentiaires ne cessant d'augmenter.

Je ne suis ni un naïf, ni un romantique béat. Je sais seulement que loin de réhabiliter, la prison détruit, quelquefois jusqu'à la dernière extrémité. Certaines rencontres avec un intervenant ou une intervenante extérieurs, un correspondant ou une correspondante, arrivent trop tard, quand plus une seule goutte d'eau ne saurait sortir de la roche intime ou alors ces rencontres ne sont vécues que comme des divertissements – un peu de changement pour desserrer l'étau –, participant d'une chaotique hygiène sexuelle… En prison, le détenu perd tout, jusqu'au goût du contact : pas lui qui pourrait symboliser l'exaltation des sens !

Il ne m'a pas fallu beaucoup de temps dans l'exercice de mon métier pour m'apercevoir que les contraintes imposées n'avaient rien à voir, sont toujours sans commune mesure avec le sens de la peine. Dans les établissements pénitentiaires, et je les connais bien, tout se passe – ma religion a vite été faite à ce sujet – comme si le vœu le plus cher du système était qu'un voyou ne s'en sorte pas, de peur qu'il ne devienne meilleur, qu'il ne réussisse mieux dehors... que certains de ses surveillants.

Un constat terrible qui ne met que mieux en lumière la poudre aux yeux, le leurre académique du mot « réinsertion » dont nous rebattent sans arrêt les oreilles nos soi-disant spécialistes des prisons depuis des décennies, relayés en toute bonne conscience par nos ministres de gauche comme de droite. Trente ans derrière les barreaux m'ont appris que la mise en œuvre d'un système de réinsertion efficace devra d'abord passer par l'instauration d'un État de droit en prison. C'est-à-dire par un contrôle extérieur des établissements pénitentiaires, par la suppression du « mitard » et la « judiciarisation » du régime disciplinaire, par le renforcement de différents droits (droits sociaux, droits du travail, droits à des soins médicaux équitables pour tous, droit à l'intimité à l'intérieur et à l'extérieur...), et par l'instauration d'une liberté d'expression effective pour les détenus et pour les personnels. Tous les bilans officiels, même les plus avantageux, ne changeront rien à ce constat-là. Le vécu au quotidien pèse plus lourd que mille rapports impersonnels aussi impressionnants et précis soient-ils sur un plan comptable.

Mais n'anticipons pas, avant d'aller plus loin, il convient tout de même par souci de probité de nous livrer précisément à cet inventaire comptable de la réalité carcérale en France. Nous procéderons pour cela à un état des lieux de l'administration pénitentiaire, à travers chiffres et données officiels en provenance du ministère de la Justice. Nous n'omettrons pas non plus une brève incursion chez nos voisins européens, histoire de pouvoir comparer.

I - L'ADMINISTRATION PÉNITENTIAIRE
(État des lieux)

Petit précis de présentation

I/L'organisation

La direction de l'administration pénitentiaire

L'administration pénitentiaire (AP) est régie par une direction très centralisée structurée de haut en bas, sous l'autorité d'un directeur et d'un adjoint, de la manière suivante :

• **Le Bureau des affaires générales,** puis **l'Inspection des services pénitentiaires** et **le Service de la communication et des relations internationales** coiffent trois sous-directions qui occupent une position équivalente dans l'organigramme :

– **la sous-direction des personnes placées sous main de justice** (PMJ) ;

– **la sous-direction de l'organisation et du fonctionnement des services déconcentrés** (SD) ;

– et **la sous-direction des ressources humaines et des relations sociales** (RH).

• Quatre services dépendent de l'autorité de la PMJ, le Bureau des études, de la prospective et du budget (PMJ1), le Bureau des politiques sociales et d'insertion (PMJ2), le Bureau du travail, de la formation et de l'emploi (PMJ3), et le Bureau de l'action juridique et du droit pénitentiaire (PMJ4).

• Cinq services sont placés sous l'autorité de la SD, le Bureau de gestion de la détention (SD1), le Bureau de l'organisation des services (SD2), le Bureau des équipements et de la logistique (SD3), le Bureau de l'informatique (SD4), et le Bureau de l'évaluation et du contrôle de gestion (SD5).

• Enfin cinq services ressortissent à la RH, le Bureau des relations sociales (RH1), le Bureau des affaires statutaires des personnels pénitentiaires (RH2), le Bureau de la gestion prévisionnelle des compétences et des emplois (RH3), le Bureau de la gestion des personnels (RH4), et le Bureau du suivi personnalisé des carrières (RH5).

II/Les services

Implantations et structures

Le 1er janvier 2001, l'administration pénitentiaire comptait au titre de ses **services** dits **« déconcentrés »** dépendant de sa direction :

– neuf directions régionales à Bordeaux, Dijon, Lille, Lyon, Marseille, Paris, Rennes, Strasbourg, et Toulouse ;

– une mission des services pénitentiaires d'outre-mer ;

– une école nationale d'administration pénitentiaire (ENAP),

– un service de l'emploi pénitentiaire (SEP) ;

– cent quatre-vingt-cinq établissements, plus un établissement public de santé national[1] ;

– et cent services pénitentiaires d'insertion et de probation (SPIP).

Ces établissements sont des maisons d'arrêt, des centres de détention, des maisons centrales, des centres pénitentiaires, des centres de semi-liberté ou des établissements à gestion mixte.

• **Les maisons d'arrêt** sont destinées aux prévenus (détenus qui attendent leur jugement ou dont la condamnation n'est pas définitive) et aux condamnés dont le solde de peine est inférieur à un an. Elles sont au nombre de cent-dix-sept.

1. Au 1er juillet 1999, 186 établissements plus un établissement public de santé nationale.

• **Les centres de détention** (CD) reçoivent les condamnés estimés présenter les meilleures perspectives de réinsertion. Une spécificité censée leur faire bénéficier d'un régime de détention orienté essentiellement vers la resocialisation des détenus. Onze de ces centres de détention nationaux, et douze de ces centres de détention régionaux fonctionnent aujourd'hui en France.

• **Les maisons centrales,** au nombre de six en France, accueillent les condamnés à une longue peine. Considérés comme les plus dangereux, ces condamnés y sont soumis à un régime de détention principalement tourné vers la sécurité.

• **Les centres pénitentiaires** sont des établissements mixtes qui disposent au minimum de deux quartiers dont les régimes de détention sont différents (maison d'arrêt, centre de détention et/ou maison centrale). Vingt-six d'entre eux sont aujourd'hui en service, dont huit disposent d'un quartier maison centrale, dix d'un quartier centre de détention et vingt d'un quartier centre de détention régional.

• **Les centres de semi-liberté** – treize centres autonomes en France à ce jour – assurent la détention des condamnés admis au régime de la semi-liberté ou du placement extérieur sans surveillance.

• **Les établissements à gestion mixte** : ce sont vingt et un établissements conçus à partir d'un programme de construction mis en œuvre depuis 1987, dont la gestion quotidienne (nettoyage, hôtellerie, restauration, maintenance) ainsi que certaines fonctions liées à la prise en charge des personnes mises sous main de justice (travail, formation professionnelle, santé) sont désormais dévolues à des groupements privés. La direction, la surveillance, l'insertion et le travail du greffe demeurent de la responsabilité de l'administration pénitentiaire et de son personnel.

• **L'établissement public de santé national** : implanté à Fresnes, il a pour vocation d'accueillir et de soigner les détenus.

Ces 185 établissements totalisaient, au 1er janvier 2001, « une capacité de 49 043 places de détention dont :

29 853 en maisons d'arrêt et quartiers maisons d'arrêt ;

6 364 en centres et quartiers centres de détention nationaux ;

8 116 en centres et quartiers centres de détention régionaux ;

2 751 en maisons centrales et quartiers maisons centrales ;

– 1 303 en quartiers de semi-liberté ;
– 656 en centres de semi-liberté autonomes. »

L'établissement public de santé national de Fresnes compte, lui, 207 places.

La même source[1] précisant que « depuis l'ouverture des vingt-cinq établissements du programme "13 000", quinze établissements ont été construits dont les centres pénitentiaires de Baie-Mahault en Guadeloupe, de Ducos en Martinique (en 1996) et de Remire-Montjoly en Guyane (en 1998) et le centre de semi-liberté de Montpellier. Cinq autres ont été entièrement restructurés pendant la même période. La livraison des établissements du programme "4 000" est prévue pour 2002-2003. »

• **Quant aux cent SPIP (services pénitentiaires d'insertion et de probation)**, ils ont d'abord été mis en chantier par décret (n° 99-276 du 13.04.1999) modifiant le Code de procédure pénale, dans quatre-vingt-seize départements de métropole et quatre départements d'outre-mer (Martinique, Guadeloupe, Guyane et Réunion), avant de l'être en Polynésie française et en Nouvelle-Calédonie.

III/Le budget

En 2001, le budget attribué à l'administration pénitentiaire était de 8 223 422 541 F (1 253,65 millions d'euros) ce qui correspondait à une augmentation de 4,67 % par rapport à celui de 2000, en y ajoutant les charges sociales.

Autre élément d'analyse, de 1995 à 2001, le budget du ministère de la Justice a crû de 31,24 % alors que celui de l'administration pénitentiaire n'a crû que de 29,86 %.

Enfin, en 2001, le budget de l'administration pénitentiaire ne représentait que 28,32 % du budget global du ministère de la Justice.

1. Le ministère de la Justice.

Tableau comparatif des budgets de l'État[1], de la Justice et de l'administration pénitentiaire (en millions de francs)

Années	État	Justice	AP	% de variation du budget de l'AP
1990	1 217 400	16 881	5 846	7
1991	1 280 188	18 177	5 610	– 4
1992	1 321 800	19 047	5 313	– 5,3
1993	1 369 900	20 393	5 880	10,7
1994	1 453 796	21 265	6 155	4,7
1995	1 487 631	22 131	6 332	2,9
1996	1 558 189	23 476	6 902	9
1997	1 581 998	23 894	6 777	– 1,8
1998	1 626 436	24 867	7 015	3,5
1999	1 649 640	26 257	7 421	5,8
2000	1 682 024	27 291	7 856	5,9
2001	1 729 895	29 033	8 223	4,7

1. Budget général atrribué par la loi de finances.

L'affectation par la direction de l'AP des crédits budgétaires qui lui ont été octroyés en 2001 est, elle aussi, très significative. Ils ont été attribués à hauteur de 60 % aux personnels (4 942 380 188 F, 753 461 002,47 euros), de 32,49 % au fonctionnement des établissements pénitentiaires (2 671 941 577 F, 407 334 867,53 euros), de 5,21 % aux équipements (429 150 000 F, 65 423 495,75 euros), de 0,49 % aux interventions (40 674 588 F, 6 200 800,97 euros) et de 1,61 % à l'ENAP (132 787 188 F, 20 243 276,31 euros).

• L'Europe pénitentiaire en chiffres (source : Conseil de l'Europe, 1er décembre 1998)

Pays	Taux d'incarcération pour 100 000 habitants de l'année 1996	Taux d'incarcération pour 100 000 habitants au 1er septembre 1997	Densité carcérale pour 100 places au 1er septembre 1997	Durée moyenne de détention [en mois] de l'année 1996	Taux d'évasion pour 10 000 détenus de l'année 1996
Allemagne	338	90	103	3,1	18
Angleterre et Pays de Galles	232	120	109	5,5	25
Autriche	...	86	88	...	35
Belgique	158	82	...	5,9	23
Danemark+	628	62	88	1,2	347
Espagne	139	113	112	9,7	0,9
Finlande	82	56	72	9,1	1,5
France	138	90	109	8,1	6,2
Hongrie	183	136	125	6,6	8,9
Italie	162	86	127	6,3	3,9
Norvège	245	53	80**	2,8	108
Pays-Bas	190	87	95	4,5	16
Pologne	215	148	89	8,3	4,2
Portugal	84	145	136	20	64
Suède	234	59	92	3	120

+ Ces chiffres ne prennent pas en compte l'emprisonnement asilaire *(Institutions for emprisonned asylum applicants).*
** Les détenus dont l'état nécessitent un « séjour » dans des établissements de traitement ne sont pas comptabilisés ici.

• L'Europe pénitentiaire en chiffres (source : Conseil de l'Europe, 23 janvier 2001)

Pays	Taux d'incarcération pour 100 000 habitants de l'année 1997	Taux de détention pour 100 000 habitants au 1er septembre 2000	Densité carcérale pour 100 places au 1er septembre 2000	Durée moyenne de détention [en mois] de l'année 1999	Taux d'évasion pour 10 000 détenus de l'année 1999
Allemagne	nd	98,3	107	nd	7,9
Angleterre et Pays de Galles	nd	124	102	5,8	15
Autriche	99,7	83,1	86	10	8,7
Belgique	140	84,7	117	7,1	20
Danemark	nd	61,5	90	nd	210
Espagne	121	114	106	13	1,2
Finlande	113	52,3	81	5,6	130
France	127	80,1	100	8,6	5,6
Hongrie	319	158	161	5,7	1,3
Italie	153	92,7	125	7	3,7
Norvège	251	59	90	2,6	200
Pays-Bas	197	90,1	90	4,5	10
Suède	nd	64,1	101	nd	nd
Suisse	386	89,2	94	2,3	nd

nd : chiffres non disponibles.

En France, 51 206 personnes se trouvaient en détention le 1er février 1999, dans des maisons d'arrêt, des centres de détention, ou des maisons centrales. Une population très largement masculine, puisque composée de seulement 2 017 femmes (moins de 4 %).

Pourtant derrière ces précisions que nous tenons du ministère de la Justice se cache une autre réalité.

Les religions

Le saviez-vous ? Dans les établissements pénitentiaires en 2000, 628 aumôniers exerçaient leur ministère (627 en 1998), dont 307 (286 en 1998) indemnisés par l'administration (48 à temps complet, 259 à temps partiel, contre 45 à temps complet et 241 à temps partiel en 1998) et 321 bénévoles (341 en 1998) ; 160 (189 en 1998) auxiliaires bénévoles d'aumônerie y exerçaient également des activités.

Confession par confession la répartition était la suivante l'année dernière et en 1998 :

– 437 catholiques (176 indemnisés) en 2000 / 455 catholiques (175 indemnisés) en 1998 ;

– 236 protestants (80 indemnisés) en 2000 / 245 protestants (66 indemnisés) en 1998 ;

– 67 juifs (31 indemnisés) en 2000 / 74 juifs (30 indemnisés) en 1998 ;

– 42 musulmans (19 indemnisés) en 2000 / 37 musulmans (14 indemnisés) en 1998 ;

– 3 orthodoxes (1 indemnisé) en 2000 / 3 orthodoxes (1 indemnisé) en 1998 ;

– 2 bouddhistes en 2000 / 2 bouddhistes en 1998 ;

– 1 chrétien copte en 2000 / 0 en 1998.

Chapitre I

Julian est-il un assassin ?

Le fourgon de police roule à vive allure. Deux motards ouvrent la route. Les détenus doivent arriver à destination.

À l'arrière, Julian voit la ville et son asphalte luisant défiler devant lui à travers le petit espace grillagé de 50 cm^2 qui tient lieu de fenêtre. Dehors, il pleut.

Il sait qu'il quitte la vie des hommes pour longtemps.

Au moindre soubresaut, il est difficile de garder son équilibre. Le spectacle des rues saute alors au visage et Julian qui ne veut rien en perdre essaye sans succès de s'accrocher aux interstices grillagés du fourgon cellulaire.

De toute façon, il se trouve dans un tel état d'épuisement, de fatigue physique et nerveuse, qu'il ne ressent plus rien. Deux jours de garde à vue, un passage chez le juge d'instruction sans la possibilité de se laver et encore moins de se reposer dans un endroit décent sinon dans une cage puante en guise de cellule ont eu raison de sa résistance. Il ne tient plus debout.

Il a cru comprendre qu'il encourt la réclusion criminelle à perpétuité. On ne lui a pas laissé le temps de s'expliquer et il ne lui en a pas fallu beaucoup pour s'apercevoir qu'avant même sa comparution, le magistrat avait arrêté sa religion à son sujet. Coupable il est, en prison donc il ira sur-le-champ. Bien avant l'ouverture de son procès qui ne se tiendra que dans trois ans et encore ! Le calendrier judiciaire est si difficile à tenir !

À quoi bon lutter contre son destin ? Pour l'heure, il lui importe seulement de pouvoir se reposer et de parvenir à respirer un peu de cet air de liberté qui provient du dehors. À cette seule constatation, ses yeux se remplissent de larmes et il se souvient… revivant chaque instant comme s'il y était.

* *
*

En ce jour de juillet, la nuit était chaude sur la Côte d'Azur. Une chaleur lourde, épaisse, implacable…

Julian allait quitter sa librairie après une nocturne de plus et ne le regrettait pas. La recette avait été bonne. Les touristes, chaque année plus nombreux à Nice, aimaient à déambuler dans les rues de la vieille ville à la recherche d'un peu de fraîcheur et de souvenirs insolites à rapporter chez eux.

Un objet rare, une lithographie de l'ère byzantine, une poterie de Vallauris, un santon de Provence, un livre ancien ou le dernier roman à la mode.

Dans cette petite librairie, il suffisait d'entrer pour se trouver tout de go plongé au cœur de l'histoire de l'Arménie. Dès l'abord, Julian avait fait le nécessaire pour attirer les collectionneurs. La devanture regorgeait d'ouvrages, de lithographies et de gravures faisant référence à l'art sacré et à l'art moderne très riches de cette région d'Asie occidentale.

Pour l'heure, le libraire se hâtait de tirer le rideau de fer, car ce soir-là, son père arrivait de Paris afin de passer quelques jours à Nice et il ne voulait pas être en retard au restaurant. Histoire de battre un peu en brèche la peu flatteuse réputation qui lui collait à la peau.

Alors, il se mit presque à courir le rond petit bonhomme. Ses jambes courtes le portaient avec difficulté. Un rien l'essoufflait malgré son jeune âge.

La nature l'avait doté de l'une de ces bouilles débonnaires d'enfant attardé que les femmes bécotent avec entrain.

Et il se pressait, Julian. Il se pressait. Faire attendre son père, l'un des archiprêtres les plus respectés de l'Église orthodoxe de Paris, à qui il arrivait même d'aller célébrer la messe à Jérusalem, lui vaudrait des remarques qu'il n'était pas sûr de pouvoir supporter.

Le restaurant était encore loin, et il imaginait sans peine le religieux à la barbe blanche et bien taillée, battre la semelle à l'entrée en pestant contre ce fils invisible qui ne respectait pas ses aînés, qui d'ailleurs ne respectait rien, à l'instar de la jeunesse d'aujourd'hui.

C'est dans un drôle d'état qu'il arriva bientôt devant l'établissement : la chemise en partie sortie d'un pantalon tenu par deux bretelles usagées. Son air de savant fou au visage débonnaire contrastait avec celui de son géniteur, réprobateur, campé là-bas au bout de la rue, tenant à la main sa petite valise d'homme d'Église retranché de ses bases, loin de son ministère.

Le dîner fut agréable sur la terrasse du cours Saleya. Une légère brise s'était levée, rafraîchissante.

Ils parlèrent de tout et de rien. Surtout d'histoire de l'art, des nouvelles ventes à Drouot auxquelles Julian comptait bien participer, et de la conférence à l'Unesco sur le martyre du peuple arménien qu'il devait donner la semaine suivante. Il n'avait pas beaucoup de temps pour se préparer. L'ensemble de la communauté serait présente. Heureusement, il pouvait compter sur la documentation de première main qu'il avait accumulée sur le sujet. Toute une littérature moderne écrite à propos du pogrom.

Il était connu et apprécié de tous.

Mais avant tout cela, « oui papa », il faudrait qu'il passe à Antony rendre une visite d'amitié à un ouvrier qui avait beaucoup travaillé pour lui quelques mois auparavant dans la maison qu'il venait d'acquérir sur les hauteurs de la ville.

Son père le lui rappelait chaque fois sans ménagement, car ce garçon téléphonait souvent à son domicile pour savoir si Julian montait bientôt à Paris.

Il irait donc.

Les journées passèrent, tranquilles. À la librairie, Julian vaquait à ses occupations. Son père était reparti.

Et puis le jour J, il se rendit dans la capitale par la navette Air France de 9 heures. Chaque instant libre lui fut propice à révision. La conférence était prévue pour le lendemain et il allait pouvoir dormir chez papa-maman.

Son intervention à l'Unesco se solda par un véritable triomphe. Un grand nombre d'amis, de personnalités très connues du monde des arts et de la politique, proches du peuple arménien, le plébiscitèrent.

Parmi eux, il éprouva un plaisir sans mélange à revoir Passadjian, un vieux collectionneur de livres arméniens, plein de délicatesse et d'amour, qui le considérait presque comme son fils spirituel.

Il admirait le vieil homme et il l'aimait aussi. C'est donc le plus naturellement du monde qu'ils se retrouvèrent à discuter, au cours du cocktail organisé pour l'occasion, d'un manuscrit ancien datant du XVe siècle, une pièce unique au monde, un véritable trésor !

Une œuvre qui aurait été volée durant la Seconde Guerre mondiale et dont on avait retrouvé la trace au Venezuela.

Julian était heureux, mais il avait pris d'autres engagements. Il devait dîner avec Joachim son ami d'Antony, ainsi qu'il l'avait promis à son père. Une invitation en bonne et due forme, mais c'était lui le convive. Le maçon avait insisté. Vint donc le moment où il dut prendre congé.

Une fois sorti des bouchons de la porte d'Orléans et de la chaleur poisseuse de la ville, le taxi emprunta la nationale 20 jusqu'à un petit pavillon de banlieue, semblable à bien d'autres dans cette zone et situé dans une rue déserte pleine de lampadaires, où les moucherons aimaient à venir se brûler les ailes. Il repasserait le prendre à l'heure convenue.

Julian sonna à la porte du jardin et n'eut pas trop longtemps à attendre. Une ombre se précisa bientôt dans le halo de lumière du perron. Une masse noire et imposante qui s'avançait lentement, c'était Joachim.

Il lui ouvrit d'un geste brusque. Le bruit grinçant de la charnière surprit Julian. Il recula d'un bon pas. Mais Joachim ne lui laissa pas le temps de reprendre ses esprits. Déjà, il le serrait dans ses bras, à l'étouffer, le soulevant de terre, très démonstratif dans son témoignage d'amitié.

À demi groggy par cette étreinte un peu inattendue, Julian la subit plutôt qu'il ne l'apprécia.

Joachim, ancien berger des montagnes d'Etchrniadzine avant d'émigrer en France avec sa femme et sa première fille âgée à l'époque de huit mois, était une force de la nature. Grand, très grand. Aussi large que haut. Tout en muscles. Des muscles longs et ronds, volumineux, généreux. Un corps de battant, impressionnant, vraiment impressionnant, surmonté d'un visage aux traits un peu indolents, à l'exception de son sourire tout en dents, ce qui lui donnait souvent un air cruel.

L'ancien berger le fit entrer dans son grand salon-salle à manger où trônait une énorme télévision allumée, posée sur un meuble en acajou.

Tout le mobilier, chaises, table, bibliothèque, était d'ailleurs en acajou.

Un canapé et de gros fauteuils en cuir, imposants, conféraient à l'ensemble une touche presque « trop »... riche.

Il y en avait au moins pour trois cent mille francs rien que dans le salon.

C'était moche et déprimant, mais Joachim en était fier. Il avait réussi son intégration dans ce pays, cette maison en apportait la preuve.

Après un petit verre de raki et de bonnes olives servies par une petite femme silencieuse, tout de noir vêtue, dont le regard évitait le visiteur, ils échangèrent quelques mots sur le passé, les travaux de maçonnerie que Joachim avait effectués dans la maison à Nice.

La présentation des deux enfants de la maison, l'aînée, une grande adolescente brune au visage chafouin et le petit dernier de cinq ans – son père format miniature – égaya un peu le dîner. Ils avaient pris place à la table familiale. Joachim mangeait de bon appétit, enfournant de copieuses quantités de nourriture. En face de lui, Julian parlait beaucoup pour entretenir le feu de la conversation. La femme servait et desservait, ombre efficace au visage résigné.

Plus la soirée avançait, plus Julian sentait que Joachim ne l'avait pas invité par hasard. Il devait avoir quelque chose d'important à lui dire.

Installés maintenant chacun dans un fauteuil, ils se faisaient face en dégustant une liqueur.

La petite dame en noir avait disparu. Sans doute occupée à la cuisine à vaquer à quelque tâche domestique, pensa Julian. Peut-être à laver la vaisselle, tout simplement ? Les enfants aussi se montraient discrets. Ils n'avaient pas mangé avec eux, et ne faisaient aucun bruit dans la maison. Pour un peu, Julian aurait pu croire les avoir rêvés. En tout cas, il n'avait pas besoin de se pincer pour se rendre compte que Joachim le regardait de plus en plus bizarrement, l'air grave tout à coup.

Après une profonde inspiration, ses deux grandes mains se malaxant l'une l'autre, il se pencha en avant, se lançant enfin, non sans avoir enveloppé son ami d'un regard pénétrant comme s'il s'interrogeait une dernière fois sur sa capacité à recueillir ses confidences.

Joachim lui apprit qu'il était joueur. Il flambait au casino d'Enghien, de Deauville, de Forges-les-Eaux et de Monte-Carlo. Une passion dévorante.

Il lui confessa sa fascination pour les tables de jeux, les tapis verts avec leurs grosses cases. Il lui avoua son assujettissement aux dieux numéros qui un beau jour l'emporteraient au paradis de la fortune.

Il expliqua cette fébrilité maladive qui s'emparait de lui et de certains autres joueurs pressés de colorer la table de jetons multicolores.

Il évoqua les regards fixes qui ne lâchent pas des yeux la bille qui tourne, tourne, tourne ; les croupiers qui cèlent peut-être vos espoirs au néant lorsque d'une voix impassible ils indiquent que rien ne va plus, vous invitant à faire vos jeux. Il précisa comment, au bout d'un temps, la petite bille capricieuse hésite, suspend sa volte, choisit son aire d'arrêt, et divise soudain les joueurs en deux camps : celui des gagnants et celui des perdants.

Il confia à demi-mot sa dépendance de la passion du jeu, le « manque » de la dope régulière qui s'emparait de lui dès qu'il ne se retrouvait pas dans le giron électrique d'un casino, consumé par le brasier de ce shoot si particulier, au cours de nuits courant trop vite. Des nuits sous black-jack, baccara ou quatre-cent-vingt-et-un, qui coulaient comme le sang dans les veines au rythme des relances sur tapis vert.

Il raconta sa quête irréfragable de la bonne martingale.

Il ne pouvait s'en passer. Il en parlait mieux qu'il ne l'aurait fait d'une femme aimée.

Il se doutait bien que lui, Julian, n'aimait pas le jeu. On ne pouvait attendre cela d'un intellectuel par trop rationnel. Si seulement il avait pu lui ressembler !

Au lieu de cela, l'assouvissement de son vice l'avait conduit à l'irrémédiable. Depuis belle lurette, toutes ses économies y étaient passées. Un engrenage sordide. Il avait emprunté, et emprunté encore. Toujours plus. À tous ceux qui pouvaient lui venir en aide, mais il n'en trouvait jamais assez. L'argent s'évaporait et ses dettes s'accumulaient.

Il pensait chaque soir se refaire, mais chaque soir, la table de jeu lui manquait gravement. Il perdait encore et encore.

Au jour d'aujourd'hui, il ne disposait plus d'un sou vaillant, même pas de quoi payer ses dernières traites pour le pavillon déjà hypothéqué par des dizaines de créanciers.

Julian commençait à comprendre les raisons de l'invitation si pressante de Joachim. L'ancien berger avait besoin d'argent et espérait sûrement sans oser le lui demander que son ami « niçois » pourrait le dépanner de quelques milliers de francs.

Le regarder suffisait. Un homme à bout, effondré, abattu, ne s'appartenant plus, qui donnait l'impression de ne pas maîtriser sa grande carcasse.

Julian savait ne pouvoir rien faire pour l'aider vraiment. Il n'ignorait pas que le jeu vous tient comme la plus sûre des drogues, et que toute la richesse du monde peut s'évanouir sur une table de black-jack. Le peu d'argent qu'il pourrait lui prêter ne le mènerait pas bien loin, mais il réfléchissait, cherchant une solution afin de l'aider à sortir du terrible engrenage. Joachim avait charge de famille.

Un silence pernicieux s'était installé dans la maison. Plus aucun bruit ne venait de la cuisine. La femme et les enfants de Joachim devaient s'être retirés dans leurs chambres.

Un silence menaçant, qui ne pourrait être rompu que par des mots-solutions, des mallettes porteurs de beaux billets de banque.

Un vrai silence ennemi que Julian affronta crânement en ne parlant plus.

Leur face-à-face muet ne dura que quelques minutes d'éternité au cours desquelles le libraire se sentit très mal à l'aise, et puis la lumière vint à Julian. Il se souvint que Passadjian était en train de vendre un appartement rue de Rennes. Il disposerait peut-être de quelques disponibilités pour Joachim. D'autant que les deux hommes se connaissaient. Le maçon avait souvent effectué des petits travaux dans les divers appartements du maître, et nul ne doutait, dans leur cercle d'amis, de l'attirance qu'exerçait sur le vieil homosexuel érudit ce grand gars à la plastique brutale.

Il ne se montrait pas insensible à l'anatomie des hommes robustes et s'en était ouvert parfois à Julian. Joachim, spécimen archétypal, en bénéficierait sans doute.

Julian promit de prendre rendez-vous dès le lendemain matin avec Passadjian. Il convenait de ne pas perdre de temps, car il devait retourner à Nice le plus vite possible où son travail l'attendait.

Ouf ! Ce n'est pas tant de la gratitude qu'exprimèrent les yeux de Joachim, non ! Mais bien plutôt une accentuation du sentiment de soulagement qui se lisait sur son visage. Il allait enfin pouvoir dormir mieux cette nuit. Enfin, peut-être !

Il raccompagna Julian devant la porte du pavillon. Le taxi commandé l'y attendait et le ramena chez son père.

Tôt le lendemain, il appela Passadjian.

Un vieux monsieur, digne, gentil, affable, patiné par cette intelligence de la vie propre à ceux qui ont réussi à la sueur de leur front. Un homme à l'ancienne, vêtu toujours avec recherche, pas rancunier pour deux sous, animé quelquefois (moins souvent que par le passé selon son propre aveu) de colères orientales dévastatrices, mais qui ne duraient pas et le laissaient sur le carreau plusieurs jours.

Il se montra très touché que Julian lui téléphonât. Rendez-vous fut pris pour l'après-midi même, histoire de déguster un petit café vers 16 heures, et de s'entretenir de ce mystérieux quelque chose qu'il avait à lui demander, mais dont il ne voulait discuter au téléphone. Bien sûr, qu'il pouvait venir avec ce Joachim, surtout s'il était concerné par le sujet dont il avait à lui parler.

L'ex-berger et le libraire décidèrent alors de se retrouver une heure plus tôt chez les parents de Julian, afin de préparer leur rendez-vous avec Passadjian.

Il faisait beau, cet été-là sur Paris. Une chaleur canaille, propice aux rencontres, brûlait la peau d'asphalte des grandes avenues plantées de marronniers et de platanes, sous la licence azuréenne d'un ciel dépourvu de la moindre ridule blanche ou grise. Parvenu en bord de Seine, Julian se repaissait des reflets colorés du soleil sur la surface argentée du fleuve parisien. Tout entier galvanisé par l'impression d'avoir entrepris une bonne action, il se trouvait en harmonie avec lui-même et avec cet habit de gaieté qui nimbait la capitale.

Les belles passantes, aujourd'hui, lui paraissaient moins inaccessibles. Plusieurs d'entre elles avaient répondu à ses sourires, et il ne se sentait pas vaguement mal à l'aise chaque fois qu'il laissait errer ses regards sur leurs jambes nues, parfois longues et aériennes. Jambes d'amour et de hasard, jambes d'un instant, croisées un jour sous le pont des Arts…

Déjà quelques heures auparavant, après la douche et un rasage de près, il s'était senti un autre homme en s'aspergeant d'une eau de toilette de marque achetée au bout d'un mois d'hésitation. Et puis, la fête continuait. N'allait-il pas déjeuner avec sa mère, consacrée femme de sa vie entre toutes, en dépit de ses excentricités, de sa culture et de sa pratique de l'excès, orientale en diable ?

Quinze heures. Deux coups de Klaxon et Julian descendit. Joachim venait le chercher. La route serait un peu longue jusque chez Passadjian et ils avaient à parler.

Chaleur accablante, vitres baissées, la vieille Renault 25 filait, filait. Joachim, dents serrées, traits tirés, larges cernes, appuyait sur le champignon. Tronche en biais, il ne répondait que par monosyllabes aux questions de Julian, lâchant malgré tout que cette visite serait pour lui celle de la dernière chance.

En ce début d'août, Joachim trouva à se garer sans difficulté. Les abords du bel immeuble haussmannien du milieu de la rue de Rennes, inaccessibles durant les autres périodes de l'année, étaient déserts. Julian remarqua avec étonnement, mais ne posa aucune question, que Joachim, ouvrant le coffre de son véhicule, en sortait un paquet neuf de sacs poubelles, et le fourrait dans sa besace. Le Niçois connaissait par cœur le numéro de code de l'immeuble. Ils poussèrent la porte cochère, passèrent à droite devant la loge de la concierge et se retrouvèrent un peu plus loin, légèrement sur la gauche, en face d'un ascenseur à battants des années vingt, qui couinait et grinçait au moindre mouvement. Cela ne gênait personne, vacances obligent.

Au quatrième étage, Passadjian les accueillit par un « J'arrive » sonore, avant de leur ouvrir la porte et de les recevoir avec un sourire agrémenté de quelques belles et fausses dents blanches. Il embrassa Julian et salua Joachim sans ciller, d'une vigoureuse poignée de mains.

Ils passèrent au salon, un très vaste foutoir cossu, inorganisé avec un soin étudié. Une pièce encombrée jusqu'à la gueule de meubles et d'objets de toutes dimensions, d'âges et de matières divers, plus rares les uns que les autres, achetés dans différentes galeries, chez Drouot, ou chez des brocanteurs. Julian remarqua que Joachim prenait un luxe de précaution pour ne toucher à rien, ne rien faire tomber par inadvertance.

Sur deux des murs, de manière anarchique, des tableaux de genres et d'époques différents (pour la plupart, Julian le savait, des copies d'originaux, mais que Joachim observa en poussant des exclamations admiratives) côtoyaient lithographies, estampes et affiches.

Une énorme bibliothèque, débordante de livres reliés plein cuir, d'art pour la plupart, d'encyclopédies, et autres ouvrages en tous genres, occupait l'ensemble du troisième mur.

Meubles anciens et modernes, fauteuils et divans profonds, conféraient à l'ensemble une touche de bric-à-brac inattendu et intime, un grand bazar personnalisé et chaleureux.

Seul détonnait un peu dans un coin au fond – une sorte d'arrière-pièce – un fauteuil relax en velours côtelé marron foncé, en face d'une petite télévision. Passadjian avait soixante-quatorze ans et son dos appréciait la souplesse et la douceur de ce siège confortable.

Il les engagea à s'asseoir sur l'un des canapés avant de leur demander ce qui lui valait l'honneur de leur visite, allant jusqu'à avouer une certaine curiosité depuis le matin.

Julian prit la parole. Joachim, survolté, en paraissait incapable. Ne tenant pas en place sur le canapé, il ressemblait à un enfant curieux de tout, se retrouvant dans la caverne d'Ali Baba. Les yeux avides, fouillant du regard cet imposant bric-à-brac, il ne paraissait pas concerné par les propos du libraire niçois.

Julian pourtant expliquait de manière synthétique, presque « facturière », les problèmes d'argent que rencontrait Joachim. Sans rien omettre, sans rien cacher de la passion du jeu du maçon. Passadjian, assis sur un petit fauteuil droit, style directoire, l'écoutait avec attention.

Dix bonnes minutes se passèrent avant que Julian ne conclue son quasi-exposé par la demande d'un prêt de cent mille francs. Il jeta un coup d'œil à Joachim encore plus recroquevillé au fond du divan, puis reporta son attention sur Passadjian. Après un court moment de réflexion, celui-ci lui répondit par la négative. Non, il ne pouvait pas et il en était désolé. D'abord, parce que s'il venait certes de mettre en vente son deuxième appartement rue de Rennes, il n'avait pas encore trouvé d'acquéreur ; ensuite parce qu'il savait que cet argent, s'il le leur donnait, Joachim s'empresserait d'aller le jouer et le perdre dans les casinos les plus proches de la capitale sans résorber en rien ses dettes.

Un peu gêné, il s'était ensuite levé, avant de leur proposer un café, envisageant sans doute d'aller le leur préparer dans la cuisine. Julian accepta. Joachim, blême, ne lui répondit pas.

La tension était montée d'un coup dans la pièce. À peine Passadjian eut-il tourné le dos, que Joachim déplia son corps d'athlète, avec l'allant contrôlé d'un félin sur le qui-vive. Ses yeux, animés d'une sorte de colère retenue, brillaient de dépit.

Julian, mal à l'aise, eut l'impression que Joachim s'était réveillé de sa torpeur et qu'il allait lâcher les rênes de l'angoisse qu'il contenait difficilement depuis des mois.

L'expression de son ami lui fit peur. Il tenta de le calmer, de le réconforter, mais ce dernier ne l'écoutait pas.

Il sortit de sa poche une mince cordelette de Nylon, dont il s'entoura le poignet à plusieurs reprises, son visage se durcissant à mesure.

Interloqué, la peur au ventre, Julian le regardait, sentant poindre la menace d'un proche avenir hostile.

Que faire, quoi dire ?

Ne rien montrer pour le moment lui parut la meilleure défense, mais Passadjian ? Comment avertir Passadjian, le protéger ?

Il ne devait pas arrêter de parler, de s'adresser à Joachim, de le rassurer, oui c'est cela. Qu'il se calme, ils trouveraient bien une solution, tout espoir n'était pas perdu. Mais le maçon ne l'écoutait toujours pas. L'avait-il seulement entendu ?

Après avoir tourné deux ou trois fois dans le salon tel un ours en cage, Joachim disparut brusquement derrière la porte.

« Attends ! Reste-là ! » lui hurla Julian, avant de voir Passadjian, l'air étonné, s'encadrer dans la porte, portant un plateau sur lequel reposaient une cafetière et trois tasses.

Tout se passa très vite, mais Julian devait se souvenir, plus tard, qu'il avait eu l'impression que ces funestes événements s'étaient déroulés au ralenti.

Joachim apparut soudain derrière Passadjian. En un tour de main, il eut tôt fait de lui passer la cordelette autour du cou tout en le poussant devant lui. Le vieil homme perdit l'équilibre en émettant un « Ah ! » de surprise. Le plateau et son contenu se répandirent en tous sens, tandis que Joachim, à moitié agenouillé sur le vieux, un genou appuyé et maintenu avec force entre ses deux omoplates, bien campé sur son autre jambe serrait, serrait, tout en tirant comme une brute sur les deux extrémités de la cordelette.

Passadjian étouffait dans des râles abominables et Julian, paralysé par l'effroi, ne bougea pas. Incapable du moindre geste, saisi d'horreur, il assistait sans en croire ses yeux à l'assassinat de son père spirituel.

Du sang jaillissait de la bouche du vieux, qui grognait de moins en moins, tant Joachim, corps arc-bouté, mettait d'ardeur à en finir avec sa victime. Puis il lâcha prise après une ultime torsion plus vigoureuse que les autres.

Machinalement, Joachim retourna sa victime. La langue pendante, bleue violacée, les yeux révulsés, Passadjian baignait dans son sang. Hagard, Joachim le fixa longtemps, mais d'un regard absent, avant de porter ses mains à la hauteur de son visage. Des mains rouges, pleines de sang sur lesquelles subsistait encore la marque de la cordelette. Leur vue parut avoir le don de le sortir de sa torpeur.

« Il est mort ? » se contenta-t-il de demander d'une voix blanche en se tournant vers Julian. Puis sans attendre de réponse, il se redressa et disparut dans l'appartement, sans doute dans la cuisine, puisqu'il revint avec un couteau domestique très effilé en main, dont il piqua les jambes de la victime comme pour s'assurer de son trépas. Un geste ahurissant !

Julian le répéterait souvent après, se le dirait à lui-même aussi, des milliers de fois, quand il tenterait d'analyser le comportement qui fut le sien ce jour-là : il avait eu envie d'empêcher Joachim de commettre l'irréparable. Il avait souhaité venir en aide à Passadjian. Il avait senti que Joachim franchirait la ligne jaune. De toutes ses forces il avait eu envie de crier pour stopper cette horrible violence, y mettre fin, mais aucun son n'était sorti de sa gorge lorsqu'il aurait fallu. La peur l'avait cloué, figé là, liquéfié. Son existence durant, confierait-il plus tard à François, il se reprocherait ce qu'il considérait comme un acte de lâcheté absolue, cette non-assistance à ami en danger. Dès cet instant-là, quand son regard croisa celui de Joachim, il s'autoproclama coupable au plus intime de son être. À cause du maçon, son père spirituel, cet homme à qui il devait beaucoup, qui lui avait prodigué tant de leçons de vie, venait de mourir.

Le meurtrier ne lui accorda pas plus d'importance que cela. Il ne remarqua sans doute pas les sanglots qui le parcouraient tout entier, corps à demi prosterné. Non, remis pour sa part de ses émotions, visage recomposé, Joachim ramassa la cordelette, tira le vieux près du tuyau du radiateur et l'y attacha comme s'il pensait que ce dernier allait par miracle ressusciter avec le désir de s'échapper. Cela en ordonnant à Julian, d'un ton sans appel, de s'asseoir dans un fauteuil et de n'en plus bouger jusqu'à ce qu'il en ait fini. Il sortit ensuite de sa besace le paquet de sacs poubelles noirs, l'ouvrit et commença à remplir les sacs, pillant les lieux.

Pendant près de deux heures, il fit des allers-retours entre l'appartement et la voiture.

Julian, prostré, ne bougeait pas. Au bout d'un certain temps, il se demanda seulement quand ce cauchemar prendrait fin. Recroquevillé au fond de son fauteuil, il n'osait regarder en direction du corps supplicié de la victime. Pourtant, pour quitter la pièce, il lui faudrait bien trouver la force de l'enjamber. Il ne répondit pas non plus à Joachim quand ce dernier lui mit sous le nez d'un air jubilatoire et triomphant des livres qu'il avait trouvés dans la chambre de Passadjian et lui demanda s'il voudrait bien l'aider à écouler toute la marchandise au plus vite. Grâce à lui, il allait enfin pouvoir payer ses dettes et jouer, jouer de nouveau ! « Ce vieux con avait raison. Y serait encore vivant s'y s'était montré moins radin. L'argent, ça vaut pas la peine de mourir pour ! »

Là encore, Julian ne broncha pas. Il fallut que Joachim le secoue et le force à se lever pour qu'il le suive.

Il finit par descendre, s'engouffra dans la voiture aux côtés de Joachim. La nuit tombée sur la rue de Rennes s'était aussi emparée de lui, pour longtemps.

* *
*

Le fourgon cellulaire décolle sur un dos d'âne. À l'arrière les détenus retombant durement sur le banc, tout en se meurtrissant le dos contre les parois, émettent des râles de douleur. Le choc vient de sortir brutalement Julian de l'évocation de son récent passé. Le véhicule s'arrête peu après. Il entend sans les comprendre quelques cris, et identifie le grincement d'une lourde porte coulissante. Le cœur serré, Julian comprend qu'ils sont parvenus à destination, dans l'antre de « Moby Dick », la maison d'arrêt de Fresnes.

Avant de sortir, il a le temps d'apercevoir une petite cour pavée, carrée, avec au milieu une bouche d'évacuation d'eau et des rigoles en pente qui laissent s'écouler la pluie.

Un tantinet hébétés, ils sortent en descendant deux par deux un petit escalier métallique déplié à cet effet, les pieds entravés par de larges fers et de solides chaînes dont les maillons traînent à terre en produisant une musique rythmée par les pas de chacun, le bagne en ce pays. Certains manquent perdre l'équilibre, défaut d'habitude oblige. Julian est attaché à un homme âgé qui n'arrête pas de gémir et de renifler. Il pleure, pas difficile à deviner malgré l'eau qui tombe du ciel.

Ils passent entre deux colonnes de gendarmes, répressive haie d'honneur.

Ils montent ensuite quelques marches en pierre, longent une petite porte battante en bois munie de carreaux en verre, et là, juste à l'entrée de l'immense bâtiment principal, un surveillant les accueille, les compte, et leur demande d'attendre le long du mur. Ils n'ont de toute manière pas le choix, les entrants ! Ainsi dénomme-t-on les nouveaux venus dans le jargon de la pénitentiaire.

Julian entend la porte du fourgon se refermer : un claquement bref. Il ne se retourne pas. Très vite, dès que le moteur est mis en marche, l'odeur du diesel se répand dans la cour et le véhicule repart. Il confiera plus tard à François avoir eu à cet instant le sentiment qu'un important chapitre de son existence venait de se clore et que dorénavant il ne serait plus un homme comme les autres, mais un prisonnier. Pas un détenu, un prisonnier. Sur la prison, il avait déjà entendu et lu les plus folles horreurs, notamment dans le très poignant ouvrage de Jacques Lesage de La Haye : *La Guillotine du sexe* et le cultissime *Surveiller et Punir* de Michel Foucault[1].

Il s'attendait à tout et le pire survint…

* *
*

FRESNES

La maison d'arrêt de Fresnes fut construite au XIXe siècle. Elle offre aux yeux des visiteurs une curieuse architecture en croix.

Son couloir le plus interminable s'étale sur pas moins de trois cents mètres de long et une dizaine de mètres de large. Un couloir malaisé de surcroît, car un peu en pente, qui distribue trois divisions, une aile au sud sur sa droite et une aile au nord sur sa gauche.

Les prisonniers y circulent de manière immuable, longeant le mur de droite pour descendre et celui de gauche pour monter.

Le parquet du hall est toujours ciré avec soin. Et pour cause ! Des générations de prisonniers lustrent sans cesse son bois jusqu'à se voir dedans ! Ce miroir à l'huile de coude forcée est bien la seule note de chaleur de ce hall triste, si mal éclairé.

---

1. *La Guillotine du sexe*, Jacques Lesage de La Haye, éditions de l'Atelier ; *Surveiller et punir*, Michel Foucault, éditions Gallimard.

Chapitre II

Les entrants

Il les a vus venir de là-bas, du bout du couloir. Ils sont au moins une vingtaine. Une vingtaine !

Ils ne ressemblent plus à aucun passant habituel de la rue, mais bien plutôt à une horde misérable qui pourrait figurer leurs caricatures. Une sorte d'accablement aveugle paraît guider leurs pas. Les uns arborent une chemise à demi ouverte, d'autres tentent de maintenir d'une main tremblante un pantalon qui tombe, leurs ongles sont déjà ternis par la pourriture de l'endroit.

Ils traînent derrière eux un baluchon vert kaki constitué d'une couverture dans laquelle ils ont entassé leurs affaires. Deux surveillants les encadrent et gueulent à l'infini. Les plafonds sont si hauts que leurs cris s'y répercutent et se prolongent en une cacophonie ahurissante.

Ils rasent les murs et malheur à celui qui dépasse la ligne imaginaire tracée par les matons.

Julian les observe avec une attention clinique.

Son tour vient. On le détache enfin. Son compagnon d'infortune a du mal à conserver son équilibre. Debout l'un derrière l'autre, ils attendent devant le greffe. L'homme âgé ne renifle plus, mais Julian perçoit son anxiété, sa peur même. Bientôt on appelle Julian. Impatient, il se précipite dans la pièce lugubre.

Photos, empreintes digitales, fouille à corps, puis le surveillant lui tend une carte bleue sur laquelle figure une suite de chiffres. Son numéro d'écrou lui signifie le fonctionnaire d'une voix tranchante.

Sa nouvelle identité carcérale ! Julian comprend alors que désormais il ne sera plus qu'un numéro entre ces murs, que même son patronyme lui a été confisqué. Le voilà dans les entrailles de la machine à déshumaniser, dont l'office commence précisément à son endroit. Il ne sait pas encore que le temps – associé aux mauvais traitements – en sera l'un des *deus ex machina*.

Il doit garder cette carte sur lui, jour et nuit. Y veiller comme à la prunelle de ses yeux. Elle sera son sésame, la clef de sa survie peut-être. Qu'il s'oublie, mais ne l'oublie pas, assène le maton. Malheur à ceux qui la perdent, ils sont passibles de sanctions disciplinaires.

Julian entame ensuite le parcours propre à chaque « entrant ». Il se retrouve devant le guichet où il doit laisser ses papiers d'identité et l'ensemble de ses objets personnels : sa montre et ses bijoux y compris. Au premier abord, cette obligation semble légère. Quoi de plus simple que de s'en acquitter, en effet ? Mais ces menus objets représentent souvent le dernier lien sentimental avec la vie passée. Celle d'avant les hauts murs…

Il doit se délester aussi de ses lacets, de sa ceinture et les remettre, comme le reste. Son pantalon gît maintenant sur ses chevilles. Il a une drôle de dégaine le Julian, avec ses chaussures ouvertes qui lui quittent les pieds.

On lui donne un petit savon, une serviette, un rasoir jetable, une grande couverture et un drap blanc. Le nécessaire du parfait détenu.

Mi-spectateur, mi-acteur, il entend, dans une sorte d'état second, un maton qui bougonne et met un certain temps à comprendre que l'homme aux clefs en a après lui. Il s'avance enfin, manque de trébucher. Il a compris qu'il doit se déshabiller complètement.

Le voilà nu devant des inconnus. Le cœur gourd mais le sang qui cogne. La faute à toutes les émotions contraires qui le submergent. Une sourde angoisse le mène.

Un surveillant enfile des gants en latex, du type de ceux dont se servent les chirurgiens. La palpation commence, minutieuse, insidieuse. Il s'agit d'explorer la moindre parcelle d'intimité où il aurait pu dissimuler des objets contondants ou non, ou des stupéfiants de tout type. Tout y passe jusqu'à l'anus final.

« Retournez-vous », lui intime le maton. Julian obtempère et fixe le mur.

« Penchez-vous en avant. » Le surveillant s'approche une nouvelle fois de lui et examine avec intérêt son anus – il doit tout contrôler.

« Toussez maintenant. » Julian toussaille une fois, puis deux, à bout de souffle.

Ce n'est pas suffisant. Il doit recommencer. Il n'a pas toussé assez fort.

Un sentiment d'impuissance et de révolte l'étreint. Le maton sourit enfin. L'épreuve de l'humiliation est terminée.

Le temps ne lui est pas laissé de se rhabiller. Il doit faire vite, d'autres attendent. La machine pénitentiaire souvent si lente fait là preuve d'une diligence exacerbée. Son affectation lui est signifiée : troisième division, cellule n° 378. « Ouste, allez dehors », le houspille-t-on !

Il quitte la pièce et se retrouve collé au mur, parmi les autres : ses compagnons d'infortune.

Une longue attente commence. Il n'en peut plus de se tenir debout, mais il ne doit pas broncher. Interdiction absolue de bouger ou de parler, telles sont les instructions. Il scrute l'infini couloir aux lattes de bois vieilli de plusieurs décennies, avec ses grilles au loin qu'il devra, pense-t-il, sans doute franchir tout à l'heure, avant de pouvoir goûter un hypothétique repos.

Vingt minutes s'écoulent. Il attend toujours. Ils attendent toujours et ne sentent plus leurs jambes. Sa tête tourne, mais il tient bon. Il ne faut pas qu'il tombe, alors il résiste. Tous ses muscles sont tendus. Là, confierait-t-il plus tard aussi à François, un espoir vain l'avait envahi. Celui que s'il bandait suffisamment ses muscles, la douleur allait le réveiller, l'extraire enfin de ce cauchemar. Oui c'était cela, il était en train de vivre un mauvais rêve. Il en sortirait dans quelques secondes, se réveillerait dans la chaleur de ses draps parfumés, bien à l'abri dans son cocon niçois.

Ses paupières deviennent lourdes, c'en est trop. Il ne peut plus tenir.

Et à cet instant, miracle, au moment où son corps va lâcher, la lente colonie démarre.

La file indienne s'ébroue sans trop de bruit. Ils avancent lentement, au ralenti. Chaque prisonnier donne l'impression d'essayer d'apprivoiser son ombre, la seule présence familière qui lui reste.

Ils montent, s'arrêtent et attendent au passage de chacune des grilles. Car là, deux ou trois détenus du bout du rang sont appelés et disparaissent au nord ou au sud, au gré de leur affectation définitive.

Dans la série pas de chance, Julian tient sans doute le gros lot. Il devra monter jusqu'en haut de la butte, en troisième division, à l'aile sud.

Les ailes sont toutes construites de la même manière : au rez-de-chaussée, de petits carreaux semblables à ceux des réfectoires des écoles à l'ancienne tapissent le sol. Un long et large couloir distribue des cellules normalement destinées aux handicapés qui ne peuvent pas monter aux étages. Des portes en bois peintes en vert-gris, avec au milieu un numéro inscrit sur un petit écriteau blanc en bois lui aussi, en permettent l'accès.

Certaines de ces cellules sont aménagées en parloir pour les avocats ou pour le service médical.

Si, au milieu de ce couloir, une lourde porte, munie d'épais barreaux, donne, elle, la possibilité de pénétrer dans la cour de promenade, un escalier mène aux étages tout au bout de ce long boyau. Il dessert des coursives étroites qui aboutissent à droite et à gauche à des allées.

Aux étages, des portes de cellules gris-vert elles aussi, munies d'un œilleton en métal chromé, essaiment le long des allées. Ces portes se ferment à l'envers afin de permettre au surveillant d'étage, lorsqu'elles sont toutes ouvertes, de voir et de surveiller l'ensemble des détenus du bout de la coursive.

Le poste du surveillant d'étage se trouve à l'une des extrémités...

Il est chargé entre autres activités de faire appliquer les ordres de « mouvements » qu'il reçoit. C'est-à-dire, une mise en œuvre sans incidents des « parloirs familles », des rencontres avec les avocats, des promenades, des douches, des soins médicaux, des ateliers et enseignements divers prodigués, etc.

Ces ordres lui sont transmis par l'intermédiaire de « yo-yo », des sacs de jute kaki, dans lesquels les surveillants du rez-de-chaussée mettent des petits bouts de papier où ils ont inscrit le nom du détenu à prévenir et le motif de son appel. Ces sacs reliés d'un étage à l'autre par une ficelle voyagent au gré des hurlements des surveillants avisant leurs collègues que le yo-yo est plein et qu'ils peuvent désormais en disposer en tirant sur la cordelette.

Des bouts de ficelle pour communiquer avec efficacité, faire en sorte de coordonner au mieux les activités carcérales et éviter les problèmes de discipline ! Quelle inouïe légèreté ! Le téléphone existe pourtant depuis cent ans, l'ordinateur depuis quarante, mais l'administration pénitentiaire a l'air de n'en avoir cure. Elle considère sans doute que ces avancées technologiques seraient un luxe pour les prisons. Alors, oui, ces yo-yo pourraient symboliser à eux seuls toute la misère de ces lieux. Malheureusement, il y a pire, vraiment pire.

À chaque étage, au-dessous de chaque coursive, pendent des filets de protection destinés à parer aux tentatives de suicides.

« Destinés » ! Le mot ne saurait être plus juste. Ces filets de la mort, nul ne peut les ignorer, détenu ou surveillant, en pénétrant dans une maison d'arrêt. D'emblée, le décor est planté, les dés jetés. La grande faucheuse loge en ces murs, compagne quotidienne, tentatrice, séductrice, partout présente. Elle y accueille Julian comme les autres et ne les lâchera plus.

* *
*

Julian sera affecté au deuxième étage, dans une cellule équipée de deux lits superposés et occupée par deux détenus. Dernier arrivé, il devra dormir par terre sur un matelas hors d'usage, avec pour compagnons cafards et punaises, dans une atmosphère saturée d'une humidité malodorante jusqu'à la suffocation. Mais on s'habitue au pire…

Chapitre III

La rencontre

Julian est arrivé depuis à peine quelques mois, mais le voilà déjà affecté à la bibliothèque. Il s'est bien débrouillé notre intellectuel !

Bombardé « responsable de la bibliothèque », il conseille les autres détenus sur le choix des livres et en organise la circulation. Elle en abrite de nombreux, mais rien de subversif.

La politique culturelle de l'administration pénitentiaire en France s'appuie sur un réseau de partenaires. Depuis plusieurs décennies, l'accès à la culture, élément primordial de réinsertion des détenus dans la société, est officiellement une des principales préoccupations de l'administration pénitentiaire. Aujourd'hui, quatorze directions régionales des affaires culturelles soutiennent de manière concrète (logistique, montage de projets, etc.) les actions culturelles entreprises par les directions régionales des services pénitentiaires.

Dix-sept chargés de missions régionales de développement culturel contribuent au développement culturel avec les services pénitentiaires d'insertion et de probation.

Soixante-dix villes et vingt conseils généraux ont créé des programmes culturels qu'ils proposent aux personnes détenues : animation de la bibliothèque par des professionnels, diffusion de spectacles, ateliers de pratiques artistiques.

Quatorze écrivains ont animé l'an dernier des ateliers d'écriture dans le cadre du programme *Lignes de partage* sous le patronage de la Maison des écrivains.

Cent trente-neuf établissements sont équipés d'une salle polyvalente où des spectacles peuvent être mis en scène et donnés. Quatre-vingt-treize sont dotés d'un circuit de télévision interne.

Soixante établissements pénitentiaires jouissent de la présence d'un bibliothécaire de lecture publique (bibliothèque municipale ou départementale) ; 73 % des bibliothèques fonctionnent de manière à donner aux détenus un accès direct aux ouvrages.

Eh oui ! Julian faisait œuvre utile.

Pour l'heure, **Pierre L., son avocat, le visite régulièrement.** Julian a bien changé depuis son incarcération. Disparues les rondeurs d'antan. Il n'est pas jusqu'à son visage qui ne se soit émacié. Le regard noir clair n'a plus cet éclat chaleureux, et le libraire a fondu.

Et puis, il y a deux jours, ils sont venus le chercher. Ils devaient le transférer, question d'effectifs ! Alors il a atterri à la maison d'arrêt de la Santé.

* *
*

LA SANTÉ

Vue de loin, la maison d'arrêt de la Santé ressemble à un endroit douillet, un petit nid égaré au milieu des grands immeubles de la capitale. Ce n'est pas pour rien que la Santé demeure et de loin la prison préférée des détenus ! La direction et les surveillants, malgré le livre du docteur Vasseur et de multiples témoignages, gardent la réputation d'être plus « cool » avec les détenus que dans les autres établissements pénitentiaires.

Pourtant, cette maison d'arrêt est la plus ancienne et la plus vétuste de la région parisienne.

Son principe architectural est unique, car en fait, il englobe deux prisons en une. On y pénètre par une grande porte coulissante qui s'ébranle avec beaucoup de bruit et donne sur une cour pavée au milieu de laquelle une plaque d'égout surdimensionnée permet à l'eau de pluie de s'écouler.

Une cour chargée d'histoire, puisqu'elle fut le théâtre de la dernière exécution capitale en France. Sang et eau de pluie que voilà une bouche d'égout utile !

L'une des façades de cette cour abrite les appartements privés du directeur, situés au dernier étage et bordés d'une vaste terrasse arborée de plantes et de fleurs… Mme la directrice aime à s'occuper de son jardin.

Au bout de la cour, un bâtiment principal en forme d'étoile agrémenté d'une rotonde distribue des divisions.

Celle du SMPR, où l'on voit errer quelques pauvres hères dont certains, en quête du bureau du psychiatre.

Celles, au nombre de deux, dont les cellules n'« accueillent » qu'un seul détenu chacune. Privilège (?) accordé le plus souvent aux condamnés définitifs, à de longues peines en attente de transfert, à certains travailleurs et autrefois aux travestis. On ne compte d'ailleurs plus le nombre de pénitentiaires qui ont profité des faveurs de certains travestis, en toute impunité, à la première division de la Santé.

Une grille, au pied de la rotonde, mue par un système électrique, mène au parloir avocat (spacieux) et à l'infirmerie.

Un peu plus loin, un escalier permet d'accéder au quartier haut de la maison d'arrêt. Un quartier en forme de carré divisé en quatre blocs le A, le B, le C, et le D.

Le premier étage du bloc A abrite la division dite des VIP où ont été écroués pour ne citer qu'eux : Bernard Tapie, Pierre Botton, Loïc Le Floch Prigent, Michel Roussin, bref ! le gratin de la République…

Ces quatre blocs sont chacun destinés à des locataires présentant des caractères ethniques précis :

– le bloc A est réservé aux Français, et plus particulièrement aux hommes blancs ;

– le bloc B aux Africains, et autres hommes à la peau noire ;

– le bloc C est dévolu aux Maghrébins ;

– le bloc D aux Asiatiques, aux originaires d'Europe centrale, et à quelques Français minoritaires issus du grand banditisme et du trafic de stupéfiants. Un certain nombre de travailleurs sont affectés à ce bloc. Des détenus qui ont besoin d'argent pour cantiner et qui seraient selon des rumeurs persistantes « maqués par les concessionnaires ».

Ces dispositions spécifiques d'occupation des cellules prises par la direction permettent de mieux comprendre pourquoi il n'est pas fortuit que le bloc A ait été le premier à être rénové, et que depuis, l'administration pénitentiaire semble avoir beaucoup de mal à dégager les crédits nécessaires à la réfection des blocs B, C, et surtout D.

Inconscience, perversité dans ce contexte ? En tout cas, une bonne partie des surveillants affectés à la maison d'arrêt de la Santé sont originaires des départements et territoires d'outre-mer…

Choc des contrastes, les fenêtres, il faudrait presque les dénommer « lucarnes », des cellules de la plupart des blocs de la Santé, donnent sur le boulevard Arago où des platanes harmonieusement plantés confèrent un peu d'humanité à ces lieux d'enfermement.

La période estivale est difficilement supportée par les détenus. Car cette prison est encaissée au cœur même de la ville, et dans certaines de ses cellules orientées plein sud, il n'est pas rare que la température monte jusqu'à 50 °C. Un véritable chaudron !

Une vie à trois au cœur de l'été, dans un espace aussi réduit qu'une cellule de 9 m^2, dans les conditions d'hygiène évoquées plus haut, peut laisser présager du pire (oui encore) : d'arrêts de santé inévitables dans cette maison au nom prédestiné… spécialisée en la matière.

* *
*

Ce matin-là, comme chaque matin, il s'était débarbouillé avant de « partir au travail ». Un jour semblable aux autres en apparence… Il avait enfilé sa blouse en gros coton marron, celle des travailleurs affectés aux services généraux, c'est-à-dire celle de ceux qui ont le droit de circuler partout sans la moindre restriction. Un grand privilège ! Puis, il s'était installé attendant ses premiers « clients ».

Peu de temps après son arrivée à la maison d'arrêt de la Santé, il avait été désigné, comme à Fresnes, « responsable de la bibliothèque », le prédécesseur venant de jeter l'éponge.

Responsable de « La » bibliothèque centrale, celle du bloc D, la plus importante, pas une des petites autres ouvertes dans chaque bloc. Non, celle où il était possible d'emprunter des livres récents, dans différentes langues. Ces livres, dons d'associations, de mairies, de particuliers, de bibliothèques, de divers organismes, etc., étaient très courus.

La matinée était déjà bien entamée quand il vit entrer un homme en civil. Ce n'était pas un surveillant, mais au moins un directeur ou un sous-directeur.

Quelques mois lui avaient suffi pour apprendre à se méfier de l'administration, même en costume-cravate. D'instinct il s'en tenait à l'écart et pour le moins composait avec elle, ce qui lui avait plutôt pas mal réussi jusque-là.

Il regarda l'homme venir de loin, s'approcher avec un air débonnaire et en même temps presque désabusé. Un air où l'ironie joyeuse l'emportait tout de même. Cet homme, c'était moi, François.

Julian et moi nous n'allions pas cesser de nous voir. Après de si nombreuses années passées à côtoyer et parfois à sonder le genre humain sous ses multiples facettes, plus rien ne m'étonnait vraiment, mais je n'étais pas blasé, ni revenu d'absolument tout. Je ne le suis toujours pas d'ailleurs. Mon goût des autres n'est nullement entamé. Je crois simplement que des yeux supplémentaires me sont venus. Je vois mieux, je sens mieux, je suis même plus curieux encore.

Chaque matin ou presque, hormis ceux bien sûr, où je fus de repos, je vins m'installer à la petite table d'écolier en face de Julian, pour discuter, l'écouter se raconter et lui éviter les gadins. Ce faisant, je me racontais aussi, j'en fus très vite conscient. Entre ce petit Niçois intello et moi, entre le Niçois et l'Italo-Maltais à la sauce française, chacun d'un côté de la barrière, le courant est passé tout de suite. J'y mis un brin de provocation.

Je crois bien que l'une des premières choses que j'ai été amené à lui faire remarquer tandis qu'il s'apitoyait sur son sort, c'est que le mien n'était pas enviable non plus. Trente ans de pénitentiaire, ça a de quoi vous casser un homme. À la différence près, me fit justement remarquer Julian pas dupe, que j'avais choisi de travailler en prison. Ça commençait bien entre nous !

Nous avons dès lors entamé, durant un an et demi, un long chemin initiatique dans notre quête de connaissance l'un de l'autre.

Moi le pénitentiaire, lui le prisonnier, nous n'étions pas si différents au fond. Nous nous ressemblions. Les détenus et leurs geôliers ont tant de points communs, parfois, que c'est peut-être d'en prendre conscience, d'avoir l'impression de s'observer dans un miroir sans tain qui rend certains matons si hargneux. C'est dur d'avoir sous les yeux, avec constance, une réplique à peine caricaturée de soi que l'on voudrait ignorer, mais que l'on ne peut occulter, que l'on ne peut zaper d'un coup d'un seul comme l'on changerait de programme le soir devant son poste de télévision. Vivre au jour le jour la fameuse dialectique du maître et de l'esclave en leur caverne – Oh ! Narcisse aux ailes mazoutées en son miroir ! – finit par laisser des traces.

J'entrepris de tout lui raconter de l'enfer carcéral et de ce qu'il m'avait coûté. Celui dont je n'ignorais rien. Je savais qu'il me croirait, je le lisais dans ses yeux, parce que je suis de la maison, revenu d'à peu près tout, sauf de l'essentiel, d'un constat simple, dressé à l'aune de mon expérience : en l'état, les prisons ne remplissent pas leur office, elles sont inutiles. Il faudrait les casser et trouver autre chose. En finir avec ce système archaïque, en vase clos, qui ne résout pas les problèmes posés par ceux qui n'ont pas respecté la loi et qui ont un devoir de réparation envers leurs concitoyens.

Les prisons ne sont pas ouvertes sur la société et on y respire un air bien souvent nauséabond, peu propice à une réadaptation. Si l'institution est maintenue, il faudrait que tous les hommes politiques, les moralistes de l'ère nouvelle et chaque citoyen en aient inhalé quelques effluves. Cela permettrait sans doute d'améliorer les conditions de travail du personnel pénitentiaire et les conditions de détention des emprisonnés.

* *
*

S'il est vrai que les membres de la commission parlementaire, présidée par Mme Christine Boutin – représentante de l'ordre moral – en tête, ont été bouleversés par ce qu'on a bien voulu leur laisser voir au cours de leurs visites guidées dans les prisons parisiennes en l'an 2000, je veux bien le croire ! Mais je suis bien placé pour ne pas ignorer qu'ils n'ont rien vu de la prison au quotidien. Nous savons bien que les surveillants et membres du personnel pénitentiaire qu'il leur a été donné d'entendre avaient été triés sur le volet. J'en veux pour preuve, que moi, vieux routier de l'administration que je suis, n'ai pas été contacté à cette occasion, alors que mon expérience aurait permis de mieux appréhender les maux de l'ensemble de la population carcérale. Sans doute à cause du trouble causé par le rapport que l'on m'avait commandé en septembre 1995, sur le *Fonctionnement des services et de la détention*, de la maison d'arrêt de Paris-la Santé. Les propositions qu'il contient n'ont pas eu l'heur de plaire. C'est le moins que l'on puisse dire. Rapport que j'avais rédigé et remis en janvier 1996, avant la sortie du livre du docteur Vasseur. Ce rapport m'avait été commandé, ainsi qu'on le verra plus loin, par le directeur de l'établissement.

Ce temps est déjà loin aujourd'hui. J'avais été affecté au service de la formation des personnels. Le directeur de la maison d'arrêt de Paris-la Santé, M. Tigoulet, soucieux de m'occuper un peu sans doute, me demanda de circuler dans toute la prison et de lui rédiger un rapport sur les activités des différents postes de travail de jour et de nuit. Rapport dont je m'acquittais avec conscience dans les délais impartis et que je lui remis. À ma grande confusion ce directeur ne m'en reparla jamais. Entre-temps éclata une affaire de facture antidatée dans le but de ne pas perdre des crédits alloués à la formation des personnels. La secrétaire du service formation avait pris peur quand elle s'était aperçue qu'on lui avait donné à taper un faux document et avait alerté son syndicat. Les responsables de celui-ci avaient porté plainte et une enquête de l'inspection des services pénitentiaires venait d'être diligentée. Je fus convoqué à l'administration centrale et l'on m'interrogea sur la nature de mon travail dans ce service de formation et sur cette histoire de facture. Je ne cachais rien au chef de l'inspection, un magistrat, et je lui appris donc que j'avais alerté le directeur chargé de la formation qu'il était en train de négocier une fausse facture avec les intervenants en question. Ce directeur m'avait alors tout simplement répondu de me mêler de ce qui me regardait, que tout cela n'était pas mon problème. Profitant de l'occasion, je fis aussi part au chef de l'inspection de mon sentiment de n'être utilisé dans mon travail que comme pompier de service. Je corrigeais les documents rédigés par le gradé formateur qui m'envoyait exécuter tout ce qu'il n'avait pas envie de faire lui-même. Un gradé formateur de catégorie C à l'époque qui donnait des instructions à un fonctionnaire de catégorie B à l'époque ! Je révélais aussi à ce chef de l'inspection que M. Tigoulet m'avait confié la rédaction d'un rapport : un travail de fiche de poste. L'inspecteur m'ordonna alors de lui transmettre sur-le-champ ce rapport. Ce que je fis l'après-midi même. Il faut avouer qu'à ce moment-là, le directeur d'établissement avait fort à faire avec le syndicat UFAP et que l'inspection avait l'œil de Moscou sur la maison d'arrêt de la Santé et ses dysfonctionnements supposés. Sur ceux-ci, je demeurais muet. J'avais cependant ma petite idée sur la question, mais je ne suis pas une balance. Ce n'est pas dans ma culture. Je laisse le soin à d'autres, détenus et personnels, de l'être. À la suite de mes deux convocations à l'inspection un directeur adjoint de la Santé me rendit visite à la formation et me reprocha pourtant d'être « allé baver à l'inspection » ! Je lui répondis n'avoir fait que mon devoir, sans nuire à quiconque. Furieux, il me répondit en me menaçant : « T'inquiète pas, ils n'en ont plus pour longtemps là-haut (en ce temps-là, M. Azibert était le directeur de l'administration pénitentiaire) et après on va s'occuper de ton cas ! » Cela me mit hors de moi et je lui rétorquais que ses méthodes étaient des méthodes de voyou, de mafioso et que, s'il avait à se plaindre, je me ferais un plaisir de lui prendre un rendez-vous avec ses deux « amis » le directeur de l'administration pénitentiaire et le chef de l'inspection des services. Ne décolérant pas à la suite de cette altercation, j'avisais le chef de l'inspection des menaces dont j'avais été l'objet à cause de ses convocations. Ce qui le rendit un peu plus loquace qu'à l'accoutumée. Il m'engagea à répondre à l'occasion à cet agité directeur qu'en attendant son départ, il ne manquerait pas de se pencher sur son sort. Résultat : M. Azibert fut remplacé par Mme Martine Viallet à la tête de l'administration pénitentiaire, elle-même relevée en août dernier. M. Tigoulet, lui, fut mis au placard, très peu de temps après, à la DR (direction régionale) comme chargé de mission. Encore une manière élégante de l'AP de remercier ses cadres. Cet homme s'est trouvé en fait sacrifié par l'administration pénitentiaire. Mais de l'avis de beaucoup, il fut un directeur très honnête, trop gentil, par rapport à d'autres. Il fut à l'origine de tous les grands travaux de rénovation de la maison d'arrêt Paris-la Santé mis en chantier aujourd'hui. Le directeur adjoint menaçant fut finalement détaché dans les hôpitaux, où il est toujours chargé de l'encadrement et du suivi de certains détenus. Quant à moi, après une longue période de tâtonnement, où je fus lâché dans la nature sans attributions précises, le nouveau directeur de la Santé me confia la direction du centre de ressources multimédia de son établissement. Tout cela ne m'étonna pas, j'en avais vu d'autres au cours de ma carrière.

Tout comme je ne fus pas surpris quelques années plus tard lorsque le bruit courut dans les couloirs de la maison d'arrêt Paris-la Santé que, si les détenus approchés par les membres de la commission parlementaire présidée par Mme Boutin s'étaient montrés si complaisants, c'était sans doute dans l'espoir de quelques réductions de peines spéciales et de l'amélioration de leurs conditions d'emprisonnement.

Heureusement, on ne put leur cacher, même briquée, la vétusté de nos lieux d'enfermement carcéraux. Et de cette visite annoncée sortit malgré tout une volonté de réforme.

La montagne accouchera-t-elle d'une souris ? Autant prendre des chemins de traverse et apporter à notre façon notre contribution à cette entreprise de rénovation un peu trop chichement et timidement mise en œuvre.

Chapitre IV

L'organisation de l'administration pénitentiaire

François a commencé au bas de l'échelle, il y a trente ans, en qualité de secrétaire d'administration et d'intendance. Son frère aîné était déjà dans la pénitentiaire. À cette époque-là, le minot ne savait trop quoi faire de sa vie.

L'armée, la police ne lui plaisaient pas beaucoup. Son frère l'avait donc incité à passer le concours de la pénitentiaire. *Pourquoi pas ?* s'était-il dit. En ce temps-là, avec un niveau bac, tu avais *vraiment* toutes tes chances.

Une fois le concours en poche, il est alors entré à la pénitentiaire.

Tout semblait lui réussir, malgré les pépins du début. Oh ! des pépins somme toute mineurs. Il était promis à un poste de directeur d'établissement, le couronnement de sa carrière, son bâton de maréchal !

Oui, mais voilà : il ouvre trop sa gueule le François. Alors on l'a mis sur la touche, avec les honneurs dus à son rang. Après moult tribulations, il fut nommé responsable du centre multimédia de la prison, avec rang de directeur technique.

Cette fonction, il l'exerce toujours aujourd'hui. Une expérience nouvelle, dont il a essuyé les plâtres avec bonheur, car dans ce centre, quelques détenus viennent consulter des CD-Rom.

* *
*

MA PRISON

En trente ans de pénitentiaire, j'en ai vu passer des gueules, des histoires et des drames. De drôles de types aussi. En prison, dans les cellules, tu as en instantané un précipité saisissant de toutes les composantes de la société : du plus humble, du plus respectable – Oui monsieur, du plus respectable ! – au plus vil. J'en ai réconforté – voire consolé – et aidé plus d'un en pleine dérive. Toujours dans le respect du règlement et du code de procédure pénale, lois sacrées de la maison d'arrêt, bibles de tous les fonctionnaires de l'administration pénitentiaire.

Autant dire que ma marge de manœuvre n'était pas grande.

* *
*

DE RENNES À TANGER

Ce vendredi 12 janvier 2001, dans l'avion qui me ramène de Tanger au Maroc, j'achève la lecture de *La Chambre noire ou Derb Moulay Chériff*, de Jaouad Mdi Dech. Un livre poignant, mais utile et sans concession sur les prisons marocaines. Peu avant mon départ j'avais aussi pris connaissance du rapport sur les prisons françaises de la commission d'enquête de l'Assemblée nationale. Deux lectures enrichissantes, deux exercices de lucidité, quelles que soient les réserves que l'on peut émettre ici ou là sur le rapport français. Cette semaine de vacances dans la plus belle ville portuaire du pays de l'Atlas m'était nécessaire, j'avais besoin comme souvent de respirer un air nouveau.

J'ai décidé de participer à l'écriture de ce livre sur les prisons françaises, car j'estime que le linge sale doit se laver à l'encre d'imprimerie. Je pense que les mots sont des actes qui peuvent déclencher des événements.

La jolie femme assise à côté de moi, dans cet avion qui me ramène dans l'Hexagone, me regarde avec insistance. J'ose lui rendre son regard. Elle me rappelle étrangement une détenue croisée il y a plusieurs années au centre pénitentiaire de femmes, à Rennes. Sa beauté et la fièvre dans ses yeux m'avaient frappé. Elle se distinguait nettement du lot terne des autres détenues. C'est M. Timouis, directeur à l'administration centrale, qui m'avait invité à l'accompagner à Rennes, un sacré bonhomme ! En trente ans de pénitentiaire, j'ai très peu rencontré de détenues, et ce souvenir demeure vivace dans mon esprit.

Première impression dès l'abord, la prison pour femmes de Rennes ressemble à un asile psychiatrique. Vous vous y sentez épié par mille paires d'yeux, avant très vite d'y être directement confronté. Des regards empreints de désespoir, d'accablement ou de déprime profonde. Lors de ce séjour – nous avons pu visiter cet établissement pénitentiaire de fond en comble –, tout m'a paru vieillot, usé, vétuste, d'un autre siècle. Comment peut-on se restructurer dans un endroit pour oubliées du monde ?

Condamnées pour la plupart à de longues peines – dix à quinze ans en moyenne, la perpétuité pour une vingtaine d'entre elles à l'époque –, ces femmes sont censées pouvoir trouver *aussi* en prison aide et assistance afin de se réinsérer dans la société à la fin de l'exécution de leurs peines. Je me souviens avoir éprouvé un certain malaise devant tant de solitude absolue. J'ai pensé à Albertine Sarrazin, qui écrivait de Fresnes en 1959 : « C'est comme dans les carnets de feuilles à cigarettes : un jour tire l'autre. C'est le matin que je barre mon calendrier, dès que, levée, je sais bien que le jour est déjà terminé, puisque je connais le programme et que le rideau reste baissé. » Cela me rappelle aussi aujourd'hui une lecture plus récente où une détenue anonyme avoue : « Je mange debout devant ma glace, pour voir quelqu'un, pour ne pas manger seule[1]. »

Ces femmes détenues, nous avait-on dit à Rennes, sont souvent analphabètes, anciennes alcooliques, toxicomanes, etc. « Incultes, violées, violentes, souvent à bout de volonté, fatiguées, réagissant par à-coups, parfois très brutalement, les trois quarts du temps plongées dans une profonde apathie, surtout qu'elles s'assomment souvent aux médicaments. Et il y a la drogue », avait même lâché l'un de nos hôtes fonctionnaires.

1 *Paroles de détenus*, éditions Librio.

Cela je le savais, dans toutes les prisons on se trouve confronté à une véritable cour des miracles. Nous l'écrirons plusieurs fois dans ce livre. Un établissement pénitentiaire c'est aussi drogue, caïdat, misère sexuelle, racket, à tous les étages…

Et je m'interrogeais déjà à l'époque sur l'utilité de la prison, sur le sens qu'elle pouvait bien avoir dans de telles conditions.

Me voilà dans l'avion et je repense, à cause de mes lectures et de cette singulière voisine qui me sourit maintenant, à cette visite à Rennes qui m'avait tant marqué.

Je sais qu'il est prévu d'ouvrir des unités de vie à l'intérieur de certains établissements pénitentiaires, trois appartements de 55 m^2 susceptibles d'accueillir les familles de détenus pour des durées de douze à soixante-douze heures comme cela se pratique déjà dans certains pays européens ou au Canada par exemple. N'en déplaise à certains surveillants qui ne veulent pas en entendre parler et qui préfèrent travailler confrontés à l'inhumanité : la misère, la violence, l'homosexualité honteuse ou affichée quelquefois par pure provocation ou par désespoir et j'en passe. Oui, n'en déplaise à ces surveillants qui se cachent derrière le fallacieux prétexte de la sécurité pour dissimuler leur rancœur, leur haine des détenus, leur peur, leur incompétence parfois…

Nous sommes en 2001, ce livre paraîtra en 2002, nous savons tous aujourd'hui qu'améliorer le sort des détenus ne peut se révéler que bénéfique pour le travail des personnels. Cela n'empêchera pas de penser à résoudre les problèmes de sécurité. À en croire notre actuelle garde des Sceaux, Mme Marylise Lebranchu, cela est déjà fait. Les trente-deux nouveaux établissements pénitentiaires devant être construits dans les années à venir en témoigneront.

Ma voisine maintenant s'adresse à moi, c'est un plaisir de converser avec elle.

Karine depuis ce jour est devenue une amie chère, très chère à mon cœur…

* *
*

FRANÇOIS

Tout est petit chez François, sauf les yeux. « Hormis ce que je ne montre qu'en privé, nom de Dieu ! », précise-t-il lorsqu'il est taquiné là-dessus. Son visage rond, surmonté d'une calvitie à l'ovale parfait, sa bouche toujours expressive, ses oreilles, et même sa taille qu'il affectionne de tenir un peu penchée. Ça gîte parfois dans les cordages sammutiens ! Une chose frappe dès l'abord chez ce petit homme – à l'air un peu chafouin tant qu'il ne s'intéresse pas à vous : son regard. Un regard presque féminin. Dès que ses immenses yeux bruns, aux très longs cils, se posent sur vous, sa physionomie s'anime, et ce regard de poulbot fort expressif ne vous lâche plus. Il vous sonde jusqu'au fond de l'âme. Sans agressivité, mais avec détermination. Et l'Italo-Maltais parle avec les mains, accompagnant ses propos énoncés d'une voix au phrasé du sirop de la rue, d'une gestuelle toute méditerranéenne. Un personnage !

* *
*

DE L'ALGÉRIE À LA SANTÉ

Je suis un pied-noir, un rapatrié d'Algérie. Nous sommes rentrés en France en 1962. Élevé par mes parents au pays de Kateb Yacine et d'Albert Camus, de 1946 à cette date, j'y ai connu une enfance très heureuse, bercée par le soleil et la mer. Mes camarades de jeu et de classe étaient tout aussi bien des petits pieds-noirs comme moi, des petits Algériens ou des petits Français. Mon père d'origine maltaise et italienne, ma mère d'origine française et maltaise ont vécu ce départ comme un arrachement. Tous deux, de nationalité française, nous ont inculqué des valeurs républicaines. Ils ne badinaient pas sur les questions d'équité, de justice, de responsabilité, de liberté. L'amour sous toutes ses formes : la générosité, la bonté, l'attention portée aux autres, cimentaient notre quotidien. Mes parents s'adoraient et nous le rendaient bien. Mes trois sœurs, Bernadette, Andrée, Élisabeth, mon frère Jean-Marie et moi avons gardé de l'Algérie des souvenirs ineffaçables. Mon père n'est plus, mais lorsque nous nous réunissons, aujourd'hui encore, la nostalgie – une nostalgie poignante –, nous prend, dès que nous évoquons ce beau pays méditerranéen...

Mon père, comptable, travaillait là-bas dans une coopérative agricole privée et se reposait sur ma mère, femme au foyer, pour l'organisation de la vie quotidienne à la maison. J'ai plutôt vécu dans l'insouciance les événements qui ont conduit à l'indépendance de l'Algérie. Du moins au début. Mon père était « unité territoriale », il faisait partie de ces civils qui œuvraient dans la défense passive. Un souvenir choquant du référendum de 1958 m'est tout de même resté. Nous nous le sommes maintes fois remémoré dans la famille. Les Arabes, escortés par l'armée française, descendaient des montagnes dans des camions. La plupart ne savaient ni lire ni écrire. J'avais accompagné mes parents et, sur la table, on ne mettait à la disposition des votants que des « Oui ». Il n'y avait que des « Oui » ! Et le môme que j'étais l'a remarqué. J'en ai parlé à mon père. Les Arabes qui ne savaient pas lire, on leur mettait des « Oui » dans la main, seulement des « Oui ». À douze ans, je faisais déjà l'expérience de la manipulation en politique, mais je n'étais qu'un enfant... Cela ne m'a pas traumatisé plus que cela.

Je ne parlais pas l'arabe. On ne nous poussait pas à l'apprendre et je le regrette. Avec le recul du temps et les événements qui ont suivi, une telle attitude est bien compréhensible. Si tu parles la langue de l'autre, de celui que tu veux continuer à asservir, tu rentres dans ses mœurs, tu te mets à t'intéresser à ses coutumes, tu lui donnes une chance d'exister, de te convaincre. Qui sait, tu te prendras peut-être à l'aimer, lui, pour ce qu'il est. Je sais, je suis un affreux idéaliste... N'empêche, je me sentais proche, *j'étais* proche de mes petits copains algériens, mes chers copains arabes.

La France s'est mal comportée avec l'Algérie, embourbée dans sa culture colonialiste. J'ai retrouvé ce même état d'esprit à l'égard des Arabes quand j'ai débuté à la prison de Fresnes en 1971. De nombreux directeurs ou chefs de détention étaient des pieds-noirs. Ils avaient un comportement inacceptable, abject, à l'égard des détenus arabes. Je l'affirme, dans ces années-là, et certainement depuis les années 60, dans les prisons françaises – je le crie fermement –, les détenus arabes, quels que soient les délits qu'ils avaient commis, en ont plus bavé que les détenus français. Longtemps, dans les prisons françaises, l'accès au travail bien rémunéré (l'emploi de ce mot « bien » est relatif, évidemment) leur fut interdit. Tous les postes importants de travail de la détention leur passaient sous le nez. Je me souviens d'avoir connu à Fresnes un surveillant principal qui tabassait les Arabes au mitard, uniquement à cause de leur origine. Il n'y a pas de fumée sans feu. Lorsqu'il m'arrive d'évoquer le passé, je ne peux m'empêcher de penser à ce que je vis aujourd'hui. Et j'y trouve une sorte de parallélisme. Entre cette manipulation de la misère, qui avait cours en Algérie, cette exploitation de l'homme par l'homme, ce mépris de l'autre, cette boursouflure de l'ego national qui nie la culture de ceux qu'il asservit en tentant d'en exterminer l'identité au nom de prétendus nobles idéaux, et mon quotidien carcéral, ce sont les mêmes salauds, de quelque bord qu'ils soient – politiques, militaires, civils, personnels pénitentiaires, détenus –, qui agissent sous couvert de l'impunité qui leur est conférée ou qu'ils s'arrogent. Bras armés du pouvoir, ils s'arrangent toujours pour être du bon côté du manche. La loi du plus fort, la loi du talion, du bon droit...

Je sais, cela peut paraître paradoxal que j'exerce ce métier...

Donc en Algérie, je poursuis mes études. J'étais un assez bon élève. Les cours d'histoire-géographie, surtout, me passionnaient. Je ne me plaisais pas beaucoup. Plutôt enveloppé, mon corps me causait de l'embarras. J'en souffrais en secret, et enviait l'aisance de quelques-uns de mes petits camarades qui se déplaçaient avec grâce et volaient au-dessus du sol balle au pied, légers et inspirés, réussissant le moindre dribble. Dès l'enfance je me suis rêvé sans illusion en dieu du stade. Bouboule héros de la planète foot.

Nous avons quitté l'Algérie en 1962, j'étais en classe de troisième.

Notre départ d'Algérie fut pour moi un véritable déchirement, car j'y laissais mes petits camarades de toujours. Je ne savais pas ce que cela représentait de partir ainsi au loin. Naïvement, je m'accrochais à l'espoir que nous y reviendrions très vite. La vraie vie c'était là-bas. Il m'apparaissait impossible que des événements extérieurs, si terribles soient-ils, puissent influer durablement sur le cours de mon existence.

Le fameux jour est arrivé. Nous aussi, nous sommes partis. Mes parents étaient pour l'Algérie française. Dans ma famille, ils étaient tous pour l'Algérie française. Sauf le père de ma mère. Mon grand-père était déjà socialiste à l'époque, socialiste SFIO. Il a été le seul de la famille à voter « Non » au référendum. Lui ne craignait pas de proclamer haut et fort son soutien à une Algérie indépendante. J'aimais bien mon grand-père. Son attitude, ses prises de position qui lui attiraient les foudres d'une parentèle de frileux ne manquaient pas de panache et j'y étais sensible. Grand-père avait du cœur. Il ne m'avait pas dissimulé ses larmes lorsque nous avions eu les résultats écrasants du référendum. Lui, qui était visionnaire, m'avait dit à l'époque, je m'en souviens, qu'il vaudrait mieux que les Français aident les Arabes à bâtir une Algérie forte. Ils leur devaient bien cela. Il nous a néanmoins suivis en France et ces affaires d'Algérie ont fini par avoir raison de lui. Il en a tant souffert qu'il en a perdu la boussole. Ses deux meilleurs amis, le boucher – un Arabe –, et un avocat – un Juif –, lui manquaient trop.

Le jour J est arrivé, oui. Nous nous sommes retrouvés, les garçons, à bord d'un bateau, avec des valises de linge et c'est tout. Mes sœurs étaient parties quelques jours avant nous avec nos grands-parents. Bernadette m'a d'ailleurs raconté qu'elle est tombée malade à l'entrée du bateau dans le port de Marseille. Une sourde appréhension lui serrait le ventre. Peut-être le mal de mer. Moi, je ne suis pas tombé malade. Mes parents laissaient derrière eux l'appartement qu'ils avaient réussi à acheter à force d'économies, un chaud passé pétri de vie et le cœur battant de leur âme. Ils n'avaient pas encore fini de le payer tout à fait, cet appartement. Et nous voilà, et me voilà pour la première fois en France, de l'autre côté de la Méditerranée, à Marseille, en 1962.

Mon premier souvenir parisien, c'est le taxi. Je me souviens de quand on arrive. On prend le taxi à la gare de Lyon pour aller à Bourg-la- Reine. Le taxi nous a pris très exactement huit cents francs. Dix fois plus c'est sûr que le prix normal. Nous nous sommes fait proprement estamper. Faut croire que nous étions bons à plumer. Nous devions avoir l'air de débarquer de nulle part. De parfaits ahuris. Nous avons un peu vécu dans la famille à Bourg-la-Reine, puis mon père a trouvé rapidement du boulot dans une coopérative agricole de l'Yonne. Nous n'avons pas rencontré de problèmes d'intégration, car à l'époque, à partir du moment où tu trouvais du boulot, tu étais intégré. En tout cas, cela nous est arrivé. Reçu à l'École normale d'instituteur d'Auxerre, j'y suis allé en pension, et c'est là que j'ai passé mon bac.

En Algérie, on vivait à Bône, à Annaba si vous préférez... Le rêve, la mer, le soleil, la camaraderie, la fraternité. Il avait fallu abandonner tout cela.

Après avoir passé mon bac, je quitte Auxerre pour partir à l'armée de 1967 à 1969, non sans avoir démissionné de l'École normale ! En réalité, j'ai très mal vécu ma scolarité là-bas. J'étais en pension et je ne le supportais pas. Être séparé de mes parents, de ma famille, me pesait. Cela ne m'a pas empêché de décrocher mon baccalauréat du premier coup.

Dix-huit mois d'armée à Nevers, cela vous marque un homme. J'ai su y faire. Les gradés m'appréciaient. J'avais une grande gueule, mais je ne l'ouvrais qu'à bon escient. Pour survivre, il faut savoir s'adapter, et cela je l'avais découvert depuis longtemps.

Après l'adieu aux armes, et même pendant, s'est posée très vite la question de mon avenir. J'étais fils d'employé, j'avais démissionné de l'École normale et si je ne voulais pas rembourser les quatre années d'études que je devais à l'Éducation nationale, il fallait que je rentre dans l'administration. J'ai alors passé un concours à la préfecture de police de Paris, car je devais travailler le plus vite possible. Je n'avais pas les moyens d'entreprendre des études universitaires.

Non seulement j'ai été admis à ce concours, mais je fus ensuite affecté en tant qu'adjoint administratif, au service des concours justement, à Paris, île de la Cité. Se présente ensuite la possibilité de passer un concours de secrétaire d'administration et d'intendance. Malheureusement, là, j'échoue.

Mon frère Jean-Marie, qui lui travaillait déjà à la pénitentiaire, me signale alors, très peu de temps après, qu'un concours de secrétaire d'administration et d'intendance était ouvert. J'ai toujours été très indépendant. Il m'en a parlé. L'opportunité s'est présentée. J'ai réfléchi, puis j'ai décidé seul de tenter ma chance. Je le passe et, là, me voilà reçu ! C'est ainsi que je me suis retrouvé affecté à la prison de Fresnes en 1971.

On n'entre pas très souvent à la pénitentiaire, on ne devient pas fonctionnaire de cette administration par goût. Ce sont les circonstances de la vie qui vous y poussent. On y fait son trou pour gagner son pain quotidien, pour manger, pas par vocation : 99,99 % de mes collègues se trouvent dans ce cas de figure. Même au niveau des encadrants ou des directeurs. Ces derniers ont souvent échoué auparavant au concours de la magistrature ou de commissaire de police. La plupart des surveillants, des administratifs sont aussi entrés dans la carrière par nécessité professionnelle, grâce à leur réussite à un concours, qui, il faut bien le dire, n'est souvent pas très difficile. Il serait même l'un des plus accessibles, dans les catégories les plus abordables (D notamment). À cela près que de nos jours, le niveau requis pour le passer a changé. Là où le BEPC suffisait, il y a trente ans, il faut maintenant être titulaire du baccalauréat afin d'avoir le droit de s'y présenter...

La vocation n'est donc pas au rendez-vous du travailleur pénitentiaire en établissement, mais seulement la nécessité de pouvoir travailler. Car quel est l'être humain qui d'emblée optera pour un métier où l'on passe son temps à enfermer et surveiller en milieu clos d'autres êtres humains, souvent considérés comme la lie de la terre ?

En 1971, changement complet de cadre dans ma vie professionnelle. J'avais tout de même décroché la première place de ce concours, ce qui était bon pour mon moral, car à l'époque, côté affectif, rien n'allait. C'était désert et compagnie... Je suis reçu premier, devant des types qui actuellement sont directeurs régionaux. Des gars qui ont fait carrière, ce qui n'est pas dans mon tempérament si l'on entend par là – ce qu'ont fait certains –, cautionner l'incautionnable, avoir un don avéré pour la cécité volontaire, cirer les pompes à qui de droit, renier ses idéaux, se choisir plutôt que d'opter pour l'équité, ne plus avoir le sens de la parole donnée, celui de l'honneur, de la dignité, et se foutre comme d'une guigne du respect d'autrui quel qu'il soit. Il ouvre trop sa gueule le François. Il est trop rétif, incontrôlable. Alors que le François ne demande qu'à être entendu, suivi, écouté. Alors que le François ne souhaite qu'une chose, que l'on améliore les conditions de travail des personnels pénitentiaires et les conditions de détention des condamnés et prévenus en respectant la dignité des uns et des autres. Cela gêne, faut croire. Il a pourtant des idées le François, de l'expérience. Trente ans, vous pen-

sez bien ! Voilà pourquoi il n'est pas, lui, directeur régional aujourd'hui, ou conseiller dans un ministère où pourtant il faudrait là plus qu'ailleurs des hommes de terrain et d'expérience, atypiques et rugueux, à qui on ne la fait pas. Mais le monde est ainsi fait... François a sa conscience pour lui, ses idéaux toujours intacts, frottés à la rude écume de l'infernal quotidien carcéral.

À vingt-cinq ans, en 1971, lorsque je pénètre pour la première fois à Fresnes, je n'ai aucune idée de ce que peut bien être la prison. Nous en parlions très peu avec Jean-Marie. Franchement, je n'y connaissais rien. À l'île de la Cité, je n'avais pas eu de contact avec l'univers carcéral. Mon *look* de soixante-huitard en avait déjà rebuté plus d'un. Je portais le cheveu long, une barbe drue, et vingt-cinq kilos en trop. J'ai tout de suite été pris en grippe, en raison de cela essentiellement, par la direction de l'établissement pénitentiaire. Ce moi que me renvoyaient les miroirs, j'avais toujours autant de mal à l'accepter. Mon enfance n'était pas loin, et ma situation ne s'était pas améliorée de ce côté-là. Bouboule prenait toujours le pas sur François, dans les moindres péripéties de la vie quotidienne. On ne s'habitue pas à l'obésité. Elle ne vous laisse jamais en repos et vous ronge la vie. Je parvenais à donner le change en arborant parfois une fausse décontraction, un cynisme attendu par ceux qui me connaissaient, mais je ne pouvais me mentir à moi-même. Je n'étais pas un joyeux. J'avais souscrit un long bail auprès de la maison complexes et compagnie. Avec le temps, ces kilos en trop m'ont quitté sans effort particulier. Ils m'ont justement quitté, quelques années après, cinq ou six ans peut-être, lorsque j'ai décidé de ne plus me soumettre à des régimes alimentaires incessants, je venais aussi de tomber éperdument amoureux, et j'étais enfin payé de retour...

Fresnes, ce n'était pas un coin de paradis. Ça ne l'est toujours pas, loin s'en faut ! J'étais un administratif et, à ce titre, je n'avais pas accès à la détention. Je travaillais dans les bureaux. Je fus en effet affecté à l'économat. Là, mon travail m'est expliqué par un premier surveillant, transfuge des quartiers de détention, car il passait son temps à taper sur les détenus. Un homme violent. Dans les années 70, les personnels affectés dans les bureaux étaient quasiment tous d'ex-surveillants, transférés là parce qu'ils commettaient des actes de violence à l'encontre des détenus ou parce qu'ils étaient alcooliques. Cet homme m'a néanmoins appris le boulot que l'on me destinait.

Le premier souvenir que je garde de Fresnes, à part le saisissement dans lequel m'ont laissé d'emblée les locaux, c'est celui de ma réception par le directeur. J'ai eu l'impression en l'écoutant que j'entrais dans un monastère. Il me met en garde… contre moi-même, en insistant sur les efforts de présentation qu'il attend de chacun, me dresse un tableau d'apocalypse du fonctionnement de l'établissement, et termine d'une voix sépulcrale en me disant « voilà, monsieur, vous allez être affecté à l'économat ».

Dans mon service, je subis tout de suite de la part de l'économe une attitude de rejet. À la pénitentiaire, vous savez, l'économe est un homme de pouvoir et il me fait comprendre très vite que je ne dois pas mettre le nez dans ses affaires, car je ne suis pas bête, évidemment. Il ne m'a pas fallu longtemps pour m'apercevoir que bien des choses ne tournaient pas rond là. Dessous-de-table, surfacturation, double facturation, corruption, et j'en passe...

Deux personnes travaillaient à l'époque dans ce service. L'économe et son adjoint ex-premier surveillant. Je fus la troisième à y être affectée. J'étais chargé de traiter, de « passer » les factures si l'on s'en tient au jargon du cru. Je ne mis pas longtemps à comprendre. Je voyais tout, même ce que l'on souhaitait me cacher. Les recoupements étaient aisés. De fausses factures de livraisons de produits auxquels curieusement pas le moindre code n'était attribué. Aucune livraison de ces produits ne s'effectuait et, pour cause, ils n'avaient jamais été commandés. J'étais chargé de la caisse des paiements comptants, vous pensez bien que cela ne pouvait pas m'échapper…

Jeune en ce temps-là, le solitaire que j'étais, sans beaucoup de succès dans sa vie amoureuse, s'est trouvé tout d'un coup touché par la grâce. J'aimais à la déraison, à m'en rendre marteau. Et au vrai, n'accordais pas d'importance à autre chose qu'à cet événement qui bouleversait ma vie. Rien ne serait trop beau pour l'objet de mes sentiments. Je devais combler le retard pris ; conjurer le manque dont j'avais été la victime plus souvent qu'à mon tour.

Fort de ce que je savais sur les trafics, me croyant intouchable pour avoir informé qui de droit que je n'ignorais rien de ses turpitudes facturières, par un sale mois de dèche, j'ai dérapé, franchi la ligne jaune.

Un peu emmerdé financièrement, j'ai tout simplement émis un faux faisant état d'une avance (fictive) pour un chauffeur. Le subterfuge était simple, un banal jeu d'écriture. Cette fausse facture comptabilisait une avance de huit cents francs à un chauffeur chargé des transferts de prisonniers dans un autre établissement pour des achats d'essence et des paiements de péages d'autoroutes. Je pus ainsi m'attribuer l'argent en me promettant de régulariser les comptes et la situation à la fin du mois au plus tard.

Il me fut malheureusement impossible de mettre ce projet à exécution. Je tombais en effet malade un peu avant la fin du mois, et la caisse fut arrêtée par mon collègue. Cet ex-premier surveillant très violent qui m'avait beaucoup appris, mais qui m'en voulait d'avoir découvert le trafic des fausses factures. Il ne lui fallut pas longtemps. Il s'aperçut très vite que j'avais émis un faux. Il en informa l'économe qui en référa au directeur, et à mon retour je fus déféré en conseil de discipline.

Ayant pris la mesure de ma faute, je m'attendais à une radiation. Il faut dire que j'étais membre de Force ouvrière à l'époque – je ne le suis plus aujourd'hui. Est-ce parce que ce syndicat était majoritaire ? Toujours est-il que je n'eus droit qu'à une mutation à la maison d'arrêt Paris-la Santé, assortie d'un commentaire du type : « Ne vous en faites pas. Il n'y a pas eu lieu de se plaindre de votre connaissance du travail. Tout cela n'est pas bien grave, si vous ne commettez plus d'erreurs, cela n'aura pas d'incidence sur votre carrière, et vous pourrez redresser la barre. »

Je me souviens que le responsable de ce syndicat, M. Bonaldi, un homme d'influence qui avait la réputation de faire la pluie et le beau temps au ministère, m'a même félicité : « Toi, t'es un vrai mec, t'as pas parlé. T'es pas une balance. T'en fais pas, tout ça va s'arranger. »

Bien sûr, l'économe et le directeur de Fresnes n'avaient pas hésité à me livrer au conseil de discipline, tout en sachant à quoi s'en tenir sur mes découvertes. Ils auraient pu tout simplement étouffer l'affaire. Une manière de m'acheter en quelque sorte... S'ils avaient opté pour une autre attitude, c'était parce qu'ils espéraient se couvrir en jetant un coupable en pâture, ce qui leur permettait de pouvoir se glisser dans les habits de M. Propre ! J'étais le bouc émissaire tout désigné.

Je me suis par conséquent retrouvé à la Santé, au même grade, sans abaissement d'échelon. Et ironie du sort, l'on m'affecte une nouvelle fois à l'économat, mais à un poste différent. Je n'ai plus à toucher à la caisse d'un tel service, puisque l'on me confie uniquement la prise en charge des factures. Ce fut un travail harassant !

Mais qu'est-ce que je découvre, à partir de juillet 1974, alors que je suis toujours secrétaire de l'administration et de l'intendance ? Je découvre les mêmes magouilles qu'à Fresnes, avec les mêmes fournisseurs !

Cet établissement, beaucoup moins important que le précédent, m'impressionne pourtant au début, seulement la fausse facture y fleurit. Les facturations ne correspondent pas à la réalité. Cela concerne souvent l'alimentaire. Il est plus facile de tricher sur des quantités importantes. Les factures ne correspondent pas à ce qu'on livre pour les détenus.

Je venais de me tirer des flûtes de ce type de problèmes, je venais d'en sortir, encore meurtri par les retombées de ma mutation. Définitivement éclairé sur les dures réalités de la vie, décidé à me tenir tranquille, je fermai les yeux et me tins coi.

Le faux pas commis à Fresnes m'a culpabilisé pour longtemps. J'ai une conscience. J'avais une conscience et je ne me sentais pas le droit de dénoncer quoi que ce soit. J'aurais dû démissionner. Ma mère à qui j'avais tout confié me l'avait dit aussi. J'aurais dû partir. J'aurais fait autre chose. Oui, il aurait fallu que je quitte la pénitentiaire à ce moment-là. D'autant qu'il ne me restait plus que mes yeux pour pleurer. Mon bel amour s'était envolé peu de temps après me laissant plus seul que jamais. Cet épisode de ma vie m'a servi de leçon. À la souffrance, peu à peu s'est substituée la volonté de continuer le plus honorablement possible, sans plus jamais dévier, pour retrouver un peu d'estime de moi.

Bien m'en prit, car un poste se libéra peu de temps après au service comptabilité. J'avais vingt-huit ans et je fus chargé de la comptabilité du pécule des détenus. Là aussi, je compris très vite beaucoup de choses, d'autant qu'il m'arriva souvent de remplacer le comptable. Les factures n'avaient plus de secret pour moi.

La réglementation n'était pas respectée, notamment en matière *d'applications*.

Une application c'est cette opération qui consiste pour les familles ou « amis » à déposer de l'argent sur le compte des détenus qui leur sont chers. Une opération qui ne peut être effectuée que par mandat ou virement. Elle présente évidemment l'avantage de laisser une trace.

À l'époque, quelques-unes de ces familles, quelques-uns de ces « amis », au lieu de procéder ainsi, se délestaient d'une enveloppe d'argent liquide au café situé en face de la prison, *À la bonne Santé*, auprès de Marcel, le patron du troquet, surnommé *L'Auvergnat*. Une enveloppe destinée à leur cher et tendre détenu.

Ils glissaient dans cette enveloppe la somme de leur choix, plus ou moins importante, parfois très importante. L'Auvergnat y prélevait son pourcentage, le comptable du service concerné y prélevait le sien, ainsi que le surveillant de la petite caisse.

Le système était rodé. L'Auvergnat avait ses entrées à la Santé. Il y pénétrait comme dans un moulin à vent et remettait les enveloppes au surveillant de la petite caisse ou au comptable. Ainsi que je l'ai dit, je me suis aperçu de ce trafic en remplaçant un jour au pied levé le comptable tombé malade. Grande en effet fut ma surprise de découvrir dans les tiroirs de grosses sommes d'argent, sans la moindre indication sur leur provenance et leur destination.

On a beaucoup prêté à L'Auvergnat dont l'influence aurait été non négligeable dans la « gestion » de la prison. Les détenus les plus riches le payaient (grâce à leurs familles ou/et leurs « amis »), pour changer de cellule, faire rentrer du linge, de l'argent. Selon la rumeur, il aurait eu le pouvoir d'influer sur les classements des détenus désireux d'effectuer tels ou tels travaux. Quelques coups de fil passés au directeur du travail, au chef de la détention, au service comptabilité et le tour était joué *(Voilà, faut me placer Untel. Est-ce possible ?)*. Il arrosait. Faut croire que sa bourse était large et qu'il avait la reconnaissance généreuse. La direction et l'encadrement, sans exception, auraient été au courant de ces pratiques.

Chaque année, cet Auvergnat invitait d'ailleurs la direction au grand complet et les chefs de service à une nouba mémorable. Le journal *L'Aurore* eut bientôt vent de ces pratiques et les dénonça avec vigueur. Curieusement, cela n'eut aucune incidence sur le quotidien de Marcel dit L'Auvergnat. Il partit tranquillement à la retraite, ferma son café et ne fut jamais inquiété. La plupart des membres de la direction de ces années-là (75-77) occupèrent ensuite des postes encore plus élevés. M. Bonaldi, le syndicaliste évoqué plus haut, directeur de la maison d'arrêt Paris-la Santé fut promu directeur régional. Quelques-uns de ses adjoints terminèrent leur carrière en qualité de chef d'établissement.

Petites anecdotes : lorsque Mesrine s'est évadé de la Santé en 1974, le chef de la détention a arraché certaines feuilles du cahier d'observations des surveillants avant de le remettre à la police. Quand un autre détenu s'est évadé plusieurs années plus tard de la cellule des travailleurs, le directeur adjoint a fait disparaître le carnet de ce détenu où il mentionnait tous les travaux, tous les décodeurs pirates qu'il faisait pour les personnels, surveillants compris, des travaux non rémunérés par leurs destinataires.

Je découvris aussi que le secteur du travail pénal était gangrené. Afin de diminuer les factures des concessionnaires et de grossir les factures de l'État.

Oui, je m'aperçois de tout cela, je procède à des vérifications, j'opère certains recoupements, les preuves sont flagrantes, les faits patents, mais je me tais. Je ne dénonce rien. Je n'en parle pas à la direction. Je m'arrange seulement pour que le comptable et ses « amis » sachent que je ne suis pas dupe, que j'ai tout découvert. Ils se méfient de moi, car ils n'arrivent pas à me cerner. J'ai l'air d'avoir d'autres pôles d'intérêt dans la vie que mon travail à la pénitentiaire. Je ne suis pas très liant, pas commode non plus, plutôt du genre silencieux. Et je ne crains pas d'afficher ma différence, ma réprobation muette. Ils savent aussi que je ne suis pas une balance – ils me sondent – et que j'ai du cœur. Le seul ami que j'avais parmi mes collègues cherchait depuis longtemps à se loger à Créteil et n'y parvenait pas. Je n'ai alors pas hésité à écrire pour lui au directeur de l'administration pénitentiaire et il a obtenu son appartement. Mes collègues ont apprécié…

Ma carrière se continue et, en 1978, toujours à la Santé, on m'affecte à la RIEP (Régie industrielle des établissements pénitentiaires). Je suis dès lors chargé de la déclaration annuelle des salaires des détenus. Durant quinze années, jusqu'en 1993, j'ai donc eu à m'occuper de leur travail dans les ateliers de la RIEP. Ce furent mes meilleures années et j'en garde un très bon souvenir. Je les dois à M. Timouis, ce vrai patron. Je m'étais déjà trouvé en contact avec des détenus au service comptabilité puisque je m'occupais de leurs feuilles de paye. J'avais eu affaire à des « grosses peines », des voleurs (braqueurs, etc.) le plus souvent. Généralement, ils travaillaient au classement, cooptés par d'autres détenus de même envergure. Surprenant, pas surprenant ?

J'ai trouvé une bonne organisation à la RIEP. M. Timouis était quelqu'un d'humain. Il avait réussi à négocier de bons salaires pour les détenus. Ces derniers pouvaient ainsi améliorer leur ordinaire et dépendre un peu moins d'autrui pour survivre en prison. L'ensemble des maillons de la chaîne y trouvaient leur compte. Les entreprises extérieures pour lesquelles les travaux étaient effectués, l'administration, mais aussi les prisonniers. Malheureusement, cela n'a pas plu à tout le monde. Les justiciers de pacotille jamais en retard d'une mauvaise action, les saints gardiens de la morale, pisse-vinaigre aigris, prompts à dégainer leur vertueuse indignation, se sont élevés contre ce « traitement de faveur ». Ils ne comprenaient pas que des détenus puissent gagner autant, voire plus d'argent que d'honnêtes travailleurs à l'extérieur, dont quelques-uns se trouvaient confrontés à des problèmes de chômage. Les syndicats pénitentiaires ont donc fait donner leurs troupes et se sont opposés à ce que les incarcérés touchent de forts salaires. Une véritable bronca ! Ces rémunérations gratifiantes à la RIEP faisaient de la Santé une prison d'exception dans ce domaine par rapport aux autres prisons françaises.

Nous avons toujours eu une longueur d'avance à la RIEP dont les activités se déployaient dans de nombreux secteurs. Ceux du bois (travaux de menuiserie, etc.), de l'imprimerie (travaux avec celle de Melun, etc.)... M. Timouis avait tout compris. Cet homme savait comment s'y prendre afin d'obtenir le meilleur d'un homme. Bien le payer. C'est tout. Une marque de respect. Une question de dignité. Les champions de la morale ont tout de même fini par l'emporter. Cette RIEP-là n'existe plus. Après le départ de M. Timouis, on a commencé par lui rogner les ailes financièrement, au lieu de lui accorder des budgets supplémentaires, ce qui lui aurait permis de se moderniser, d'intégrer de nouvelles technologies. Aujourd'hui, la RIEP « jouit » (ouille !) d'un statut semi-privé. Au cours de ces années-là, elle dépendait à 100 % de la pénitentiaire. Les salaires des détenus qui y travaillent ont été revus à la baisse. La roue a tourné…

À la RIEP, où j'avais passé avec succès un concours d'instructeur technique, je fus aussi le responsable de la sélection des détenus et du personnel d'encadrement (surveillants, etc.). Mon seul critère de choix pour les uns et les autres fut celui de la motivation.

En 1993, lorsqu'il fut question de déménager la RIEP à Poissy ou à Nantes, je refuse de suivre le mouvement car je préfère rester à la Santé et surtout parce que je m'aperçois que la nouvelle nomenclature de cette régie n'a plus rien à voir avec l'ancienne. M. Timouis n'étant plus là, plus rien ne m'y retient. Tourner la page de quinze années de travail accomplies avec enthousiasme – années durant lesquelles j'ai véritablement tout appris sur la pénitentiaire – ne fut malgré tout pas chose aisée.

Durant trois ans, de 1993 à 1996, l'on me confia ensuite la responsabilité de superviser le travail pénitentiaire, celui des détenus dont je gérais le classement et la comptabilité des activités rémunérées. Ce poste je le devais à M. Ramon, directeur de la Santé à l'époque. Cela m'a permis là aussi de parfaire mon expérience professionnelle et d'assimiler des données utiles à l'élaboration d'une vision plus globale et synthétique de l'administration pénitentiaire, et au-delà, du système judiciaire.

M. Ramon prit une décision courageuse, qui allait à contre-courant des pratiques habituelles. Il me demanda d'emblée de vérifier toutes les fiches de paie des prisonniers et de faire en sorte que ce ne soit plus le service général qui assume la rémunération de ces derniers, mais bien, comme il se devait, les concessionnaires. Tous les ans, le service général se trouvait, en effet, en déficit à cause de cette prise en charge salariale.

Certains concessionnaires – des entreprises privées pour lesquelles travaillaient les prisonniers – s'arrangeaient en outre pour ne jamais payer les détenus arabes et africains expulsés peu de temps après avoir accompli leur travail à la Santé, et gardaient pour eux l'argent. Durant des années, grâce à ce stratagème, les concessionnaires connurent un âge d'or édifiant. Courageux et honnête, M. Ramon me donna carte blanche afin que soit mis fin à ces pratiques. Je mis en place un suivi rigoureux des salaires fixés par les concessionnaires, et une émission régulière de statistiques de gestion des crédits affectés au service général. Des procédures de travail mûrement réfléchies.

J'ai remis le bateau à flot. J'ai accompli ma tâche. En veillant par exemple à ce que les concessionnaires respectent le règlement interne (horaires de travail, tenue stricte des carnets de travail indispensables à l'établissement du salaire du détenu...). En appelant à une vigilance sans faille à l'égard de ces mêmes concessionnaires quant à leurs exigences de très haute qualité des produits finis, qui relevait moins, je l'avais constaté, du travail réalisé par les détenus que de la plus ou moins bonne qualité des matières premières qui leur étaient fournies par... ces concessionnaires. Mon expérience dans les domaines de la production et de la gestion m'a beaucoup aidé à réussir. Les payes étaient arrêtées tous les soirs et je vérifiais que même les expulsés touchent bien leur argent. Il est arrivé, plus d'une fois, que M. Ramon fasse mettre une voiture à ma disposition afin que je puisse faire payer les détenus expulsés, consignés au centre de rétention.

J'ai eu d'autant moins de mal à effectuer cette activité dont je suis fier, qu'entre-temps, une grande directrice du travail pénitentiaire fut nommée, Mme Delarbre. Grâce à son esprit d'entreprise, son courage et sa volonté, nous avons comblé les déficits et redressé la situation en deux ans. En adoptant, outre celle évoquée plus haut, des mesures simples. Mme Delarbre a été la première directrice à avoir eu le courage de mettre fin à certaines discriminations en faisant « classer » des détenus arabes ou africains au mess et à d'autres postes importants, en donnant accès aux séropositifs à des activités rémunérées. Toutes mesures qui se révélèrent bénéfiques sur le plan financier et humain. Mieux encadrer les classements en utilisant toutes nos forces vives – sans exclusive – se révéla déterminant. Mme Delarbre, malheureusement pour moi, décida un beau jour de donner un autre cours à sa carrière, elle passa avec succès le concours d'entrée à la magistrature et fut mutée à l'administration centrale.

Cette période avait été si féconde qu'après son départ, je ne m'en ressentais pas de repartir avec quelqu'un d'autre. J'aspirais à autre chose, à du neuf. Mon expérience maintenant reconnue par mes supérieurs me valut d'être affecté au service de la formation des personnels. Le nouveau directeur de la Santé, M. Tigoulet, me commanda alors un audit qui devait me valoir, par la suite – je l'ai évoqué plus haut –, bien des déboires.

L'audit de tous les dangers. Cet audit, je le réalisai sous la forme d'un rapport de mission intitulé : *Fonctionnement des services et de la détention (septembre 1995/janvier 1996).* Durant cette période d'un peu plus de quatre mois, je me livrai donc à une enquête exploratoire ayant pour but de recueillir les témoignages des différents personnels sur les problèmes auxquels ils devaient faire face dans l'exercice de leur métier, les solutions éventuelles auxquelles ils avaient pensé pour les résoudre, leurs aspirations, etc. Je pris ma tâche très au sérieux et utilisai trois techniques d'investigation. Celle de **l'observation** en service de jour, et pour quelques sites, en service de nuit ; celle de **l'entretien informel** et celle de **la consultation de documents** (relevés d'horaires de jour et de nuit des agents, fiches de mouvements/détenus...).

Je n'ai pas rencontré de la part de ces personnels la moindre réticence. Au contraire, chacune et chacun s'est ouvert auprès de moi sans crainte apparente de sa conception du métier.

La population que je consultais me parut très représentative de l'ensemble du personnel de la maison d'arrêt Paris-la Santé. Elle comprenait :

– les personnels de surveillance (cinquante surveillants et cinq stagiaires-surveillants) et l'ensemble des gradés ;

– le chef de service du greffe ;

– le correspondant (du) local informatique (LCI) et son adjoint ;

– le personnel technique du service du bâtiment ;

– le personnel des services administratifs (économat, ordonnancement, comptabilité) ;

– le responsable de l'atelier « service national du travail en milieu pénitentiaire » ;

– les responsables des ateliers « concessionnaires » ;

– les concessionnaires ;

– le chef de service adjoint du service socio-éducatif ;

– le médecin chef du service médecine du travail ;

– les enseignants du centre de formation scolaire ;

– les représentants syndicaux, ceux du syndicat UFAP (quatre des membres de leur bureau), ceux de FO (contactés, mais non rencontrés) ;

– et des intervenants extérieurs.

Les secteurs concernés étaient les suivants :

– blocs et divisions ;

– le service infrastructure : première porte, deuxième porte, troisième porte, miradors, porte 13 ;

– le service de la gestion de la détention (BGD) ;

– le service du greffe ;

– le service des agents ;

– le service du travail pénitentiaire ;

– l'atelier service national du travail en milieu pénitentiaire ;

– les ateliers concessionnaires ;

– le service informatique ;

– le service comptabilité détenus ;

– le service de la fouille ;

– le service du vaguemestre ;

– le service du bâtiment ;

– le service des parloirs ;

– le service socio-éducatif ;

– le service formation ;

– le bureau des services économiques (économat, ordonnancement, comptabilité) ;

– le service de médecine du travail ;

– le centre de formation scolaire ;

– la bibliothèque/détenus ;

– le vestiaire/détenus.

Bien sûr, les témoignages recueillis et les résultats de mon enquête, s'ils n'émanaient pas de l'ensemble du personnel de l'établissement, n'en étaient pas moins représentatifs de façon significative. Ils illustraient la compétence et le professionnalisme des personnels sollicités, soucieux du service public, malgré des conditions de travail parfois pénibles, difficiles, de nature à engendrer stress et découragement, en raison de contraintes multiples, notamment pour le personnel de surveillance.

Mais cette enquête m'amena aussi à repérer et à prendre en compte, chez quelques membres des personnels administratifs, techniques et de surveillance, et même chez des intervenants non permanents de la Santé, une conduite individuelle et des attitudes « particulières », des pratiques professionnelles inadaptées, une propension à commettre des irrégularités, des manquements sérieux au règlement, relativement « normalisés », révélateurs de dysfonctionnements graves. Cette lucidité ne me fut pas facilement pardonnée. Mieux, l'on m'écarta d'un coup d'un seul du service de la formation des personnels.

Il faut croire qu'encore une fois, je gênais. Pourtant, dans ce service, j'assurais dès le début la rédaction du courrier du fameux gradé catégorie C, responsable de la formation pénitentiaire. Il était incapable de rédiger quoi que ce soit. Mais d'un seul coup, moi, l'instructeur technique, catégorie B, je devenais *persona non grata*.

Évidemment, puisque le contenu de mon rapport embarrassait. Un seul exemple parmi des dizaines d'autres peut expliquer cela. J'y constatais que la prise en charge des nouveaux surveillants à la Santé était défaillante, inadaptée. Souvent les jeunes surveillants, aujourd'hui encore, surtout dans la région parisienne, se trouvent confrontés à des problèmes d'argent, de logements, de parkings, de gardes d'enfants, de distance d'avec leur famille parfois. Ils remarquent que certains prisonniers sont mieux habillés qu'eux ! La marque des vêtements en prison est plus aisément vérifiable qu'à l'extérieur. Ils remarquent un peu facilement, en généralisant hâtivement, que les prisonniers peuvent s'acheter ce qu'ils veulent, ont accès à certaines activités : théâtre, cinéma, informatique, école. Ils découvrent un milieu auquel ils ne sont pas du tout préparés. On peut mieux comprendre en sachant cela que les prisonniers fassent les frais de ces carences. Il faudrait un jour étudier sur le plan statistique les raisons pour lesquelles il y a tant d'alcooliques, de congés maladies, de joueurs, d'endettés, de cocus, de femmes de surveillants trompées, ou divorcées dans le milieu pénitentiaire. En travaillant au service de la formation des personnels, j'ai pu m'apercevoir que le discours des gradés formateurs de l'époque ne faisait absolument pas état de ces manques, qu'il était uniquement construit autour des thèmes du sécuritaire, de la peur, de la soumission, de la délation. L'institution était présentée d'une manière totalement théorique. Quand on sait que, souvent, les gradés formateurs, les plus diplômés des surveillants, choisissent cette fonction en raison du pouvoir qui leur est ainsi attribué et aussi pour ne pas se trouver confrontés aux problèmes liés à leur fonction en détention, cela donne à réfléchir.

Mon rapport établissait aussi, autre exemple significatif, que le véritable secteur des ressources humaines de l'administration pénitentiaire était à rechercher dans la représentation et le travail syndical. Des syndicats plutôt corporatistes qui manipulent cadres et surveillants et dont les représentants les plus en vue se recrutent malheureusement trop souvent encore parmi les personnels les plus forts en gueule, les plus vindicatifs, ou les plus à la botte des partis politiques. Longtemps, avais-je mentionné, les syndicats avaient eu en charge le contrôle des personnels, cela en adéquation, avec les « politiques » mises en œuvre par l'administration centrale et les personnels de direction. Force ouvrière, des années durant, avait été l'interlocuteur privilégié. Ce syndicat était un membre à part entière de la famille pénitentiaire. La structure des organisations syndicales épousait, je l'avais remarqué, celle de la hiérarchie administrative. Les responsables syndicaux occupant en même temps des fonctions de direction dans cette dernière. Cette situation de leadership de FO dura jusqu'en 1986, année de la création du syndicat UFAP. Un produit hybride, mélangeant tradition autonome et savoir-faire revendicatif cégétiste, qui peu à peu pris le pas – au plan électoral – sur sa grande rivale.

En 2001, à la suite de l'agression d'un malheureux surveillant des prisons de Fresnes, l'un de mes amis surveillant me rapportait qu'un premier surveillant d'une organisation syndicale de gauche – je suis un homme de gauche, et fier de l'être, mais là n'est pas la question –, bloquait physiquement la porte d'entrée de la prison. Ce même premier surveillant, a-t-il ajouté, est le spécialiste des arrêts maladies bidons, et ne se soucie guère que l'on rappelle ses cogradés sur leurs jours de congés pour le remplacer quand il se la coule douce dans un bon département de l'est. Comment peut-on être responsable d'une organisation syndicale, lorsque l'on fait preuve d'une telle mentalité ? Aux portes, les jours de grève, ce sont les surveillants les moins performants, les moins professionnels, qui s'agitent souvent le plus. Au cours de cette fameuse grève, m'a-t-il aussi raconté, un autre surveillant-chef qui joue continuellement le cow-boy dans son bloc, les pieds sur la table, qui harangue, qui harcèle les surveillants moins gradés que lui, mais qui se liquéfie totalement devant certains détenus, les gros bras, les durs, se posait en donneur de leçon. Il n'est jamais à l'heure pour prendre son service, mais est toujours le premier à se précipiter dehors, une fois la sortie sonnée.

Mais revenons un peu en arrière, fin 1996. Le contenu de mon rapport me vaut donc d'être mis de côté. Écarté, je n'ai rien à faire. Je lis les journaux toute la journée, pendant un an, jusqu'à la nomination d'un nouveau directeur de la Santé, M. Jégo. Il me reçoit et je prends connaissance de la décision qu'il a arrêtée à mon égard. Il me charge du secteur « communication » de cet établissement, un secteur à créer, et il exige que je fasse les choses à sa façon. *Je suis là monsieur pour me servir de toutes les compétences, pour me servir des gens, pour vous utiliser. Je sais que vous êtes compétent, seulement vos compétences ont été mal employées.*

Au bout d'un an cela me fit tout de même plaisir que quelqu'un reconnaisse mes compétences. Je rédige donc un rapport sur ce secteur à mettre sur pied en intégrant des paramètres précis. Un bon rapport pour l'élaboration duquel je demande même quelques conseils à un ami chargé de mission au service communication de la municipalité de Créteil, dont moi, le rétif solitaire, j'apprécie pourtant sans restriction le maire, un homme de bien. M. Jégo, après consultation, le rejette en me pressant de l'améliorer. Nouvelle mouture mais M. le directeur réserve sa réponse et laisse traîner, laisse traîner. Il a une obsession dont il me fait confidence : celle d'ouvrir un Centre de ressources multimédia. Et un beau jour, il me dit : « Vous ne pouvez pas rester ainsi sans rien faire, je vais vous confier la direction du multimédia. Ce sera un poste parfaitement dans vos cordes. Procédez à une étude de faisabilité d'un tel centre chez nous et présentez-moi vos conclusions. » Bien monsieur le directeur ! Je procède, je procède, mon rapport est accepté, et c'est ainsi que je me suis retrouvé directeur du multimédia en 1999, avec rang de directeur technique. Ce bond dans la hiérarchie, je le dus à une réforme statutaire aux critères de laquelle je correspondais, eu égard à mes états de service. Le secteur communication n'a finalement jamais été mis en place à la Santé, pas même aujourd'hui.

Le centre de ressources multimédia est ouvert à tous les prisonniers sans exclusive, les petites peines, les grosses peines, à moins que des raisons judiciaires ou la direction ne le leur interdisent. Tous les détenus peuvent venir y consulter des CD-Rom, améliorer leurs connaissances, se restaurer culturellement et socialement. Oui, le Multimédia est un centre de soin du lien social à la maison d'arrêt Paris-la Santé. Un lieu ouvert dont la porte peut être poussée sans crainte par le détenu. Il en repart souvent réconforté, plus riche du monde extérieur qu'à son arrivée. Les détenus le savent et à partir de 1999 y défilent. Ma fonction me met en relation avec un très grand nombre d'entre eux, et un jour j'y fais la connaissance de Laurent Jacquat. Un DPS (détenu particulièrement signalé) parmi d'autres, dont en octobre 1999, la directrice chargée du pôle d'insertion m'impose la présence, afin de le sortir de l'isolement, sans ainsi qu'il est de règle me demander mon avis. Pas un mauvais bougre, mais un type engagé très tôt sur une mauvaise voie et dont le casier, de braquages en évasions, n'a cessé de prendre du poids. Un type soucieux de mettre fin à cette spirale infernale.

Je comprends tout de suite que ce que l'on attend de moi, c'est que j'entreprenne avec lui un processus de réinsertion en lui permettant d'assister et de participer à des activités. Au départ, la direction ne me dit rien de Jacquat et je n'en veux rien savoir. J'éprouve toujours, l'expérience étant là, une petite réserve, lorsque la direction m'impose un détenu ou un surveillant.

En ce qui concerne le détenu, il se révèle souvent être une balance chargée d'infiltrer l'activité pour surveiller ses codétenus. Quant au surveillant, il est parfois missionné pour avoir l'œil sur moi, tout simplement.

Quand le détenu n'est pas une balance spontanée, l'autorité pénitentiaire passe un *deal* avec lui, un arrangement censé lui profiter. Mais au final trois fois sur quatre, cela ne profite pas au détenu manipulé.

Discipliné, je ne discute jamais trop les ordres. Je déteste ce procédé d'affectation forcée, mais payé pour animer une activité et permettre au détenu de se ressourcer au centre, de pouvoir faire le vide, s'exprimer, cette fois-là, je me suis aussi exécuté. J'ai accueilli Jacquat le mieux possible.

Dès mon premier contact avec lui, un seul diagnostic s'impose. Cet homme au regard perçant – deux yeux, deux miradors – a souffert et souffre encore. J'apprends aussi par les autres prisonniers que j'ai devant moi un homme révolté ayant dû faire face tout autant aux violences exercées à son égard par le personnel pénitentiaire, mais aussi par certains détenus prêts à tout pour un maigre avantage.

Bien en place dans mon service l'année suivante, c'est tout naturellement que l'on me propose au tableau d'avancement pour être nommé directeur d'établissement. Une véritable aubaine ! Je saute de joie et postule activement. Je suis même proposé comme directeur d'établissement *au choix*. Mais les événements se précipitent. Dès janvier 2000, je décide d'aller témoigner les 6 et 7 avril durant mes jours de congés, au procès de Laurent Jacquat, à la demande de sa défense.

Ce procès se tenait devant la cour d'assises de Vannes et Laurent Jacquat devait y comparaître pour une évasion de la prison de Lorient-Ploemeur avec prise d'otage. À la Santé, l'année d'avant, il m'avait été décrit, au moment où on me l'imposait, comme un gros poisson, un DPS qui s'était déjà évadé du palais de justice de Metz, un braqueur multirécidiviste. Cet adepte de la belle avait donc remis le couvert.

Le mois d'avril arrive et me voilà devant la cour d'assises de Vannes, en pleine furie pénitentiaire sur le plan national où les médias relaient certains débats ayant pour thème la sécurité dans les prisons, le manque d'effectifs, le vote de lois favorables aux détenus, l'installation prochaine de « bordels sexuels » dans les prisons avec l'instauration d'unités de vie familiale, etc. Mon témoignage est serein. Je m'y exprime en mon âme et conscience après avoir prêté serment. Au Multimédia je m'étais aperçu que Laurent Jacquat n'était pas le personnage abominable que l'on m'avait décrit. Nous avions beaucoup parlé ensemble. Il m'avait fait des confidences, et si j'avais tenu à être présent à la barre, ce n'était pas pour l'excuser et faire l'impasse sur la portée de ses actes, mais pour témoigner de son désir fort de s'en sortir, de ses efforts et de tout ce qui avait cristallisé une personnalité aussi déroutante, aussi inquiétante pour l'ordre établi, pour une administration qui ne se soucie guère de ses condamnés à de longues peines. Cette pénitentiaire qui ne s'en préoccupe qu'en termes sécuritaires. Selon moi, Jacquat était l'exemple même du malfaiteur que l'on rend dangereux, que l'on pousse à l'être, sans lui laisser d'autres portes de sortie. Le dangereux que l'on fabrique à coups de renoncement, d'intransigeance, de brutalité, de sectarisme. Je dis tout cela à Vannes et plus encore. Je dis l'avoir vu prendre conscience au Multimédia que la vie qu'il menait ne pouvait que le conduire à l'échec. Je reviens sur son mariage derrière les barreaux avec une visiteuse de prison, sur sa volonté inébranlable de s'en sortir, sur ses appels au secours jamais entendus. Je fais état à la cour de certaines de ses confidences. Elles avaient aussi pour objet les injustices dont il fut victime. Jacquat avait été tabassé, gazé, privé de parloirs plus souvent qu'un autre, jeté au mitard, mis à l'isolement au moment des fêtes de Noël, souvent pour des raisons futiles, souvent sans raison, pour le réduire, le briser. Le résultat fut inverse, il manqua se transformer en véritable bête fauve de son propre aveu. Il estimait d'ailleurs que le directeur de l'établissement pénitentiaire de Metz était un sadique pervers. Il pensait avoir largement payé sa dette pour les braquages dans les banques. Il m'avait promis de se tenir à carreau, de sortir par la grande porte. Bien sûr l'envie du dehors était toujours là, Jacquat était amoureux. L'amour et le mariage l'avaient transformé. Il venait au Multimédia deux fois par semaine. Nous parlions, nous parlions…

Toutes condamnations confondues, sans les grâces, il lui reste encore aujourd'hui, une vingtaine d'années *à tirer* comme il dit. Dur, dur lorsque l'on a trente-cinq ans. C'est à tout cela qu'il pense maintenant à la centrale de Saint-Maur…

Lorsque je reviens de ce procès, mon témoignage a fait scandale. Le fait même que j'y sois allé témoigner est un scandale. Pourtant j'y suis allé avec une haute estime de ma fonction, en pensant servir mon administration avec lucidité, rigueur et professionnalisme. Oui, mais voilà, je n'ai pas demandé l'autorisation et de plus, moi, fonctionnaire pénitentiaire, j'ai été défendre un détenu qui a pris des surveillants en otage ! Vous pensez ! Que j'aie été le défendre sur le plan de son travail, de son comportement au Multimédia, personne ne veut l'entendre. De haut en bas de la hiérarchie. Il n'est pas jusqu'à des détenus, des grosses peines, pour me reprocher d'avoir été témoigner à Vannes, de peur que l'on ne m'écarte du Multimédia et que je ne puisse plus ainsi m'occuper d'eux.

Pourtant, je n'ai trahi personne, bien au contraire. Le procès Jacquat à Vannes a été un procès équitable. La justice y a été rendue dans la sérénité. Lorsque c'est le cas en France, elle passe sans accroc. L'avocat général et le président s'y sont montrés exemplaires. J'y ai aussi été invité à parler de la sécurité dans les établissements pénitentiaires. Je m'y suis employé sans me faire prier, celle-ci s'assurant selon moi par une formation et un professionnalisme sans faille (ainsi que nous le verrons dans ce livre). J'ajoutais aussi que la prison est une véritable cour des miracles, véritable miroir de la société, où tout se vend et tout s'achète, même la vie d'un homme, et que, oui, la sécurité était un problème de professionnalisme et de solidarité (prise de service en retard, alcoolisme, dérives professionnelles diverses, racisme, haine, jalousie, absence de directives, absence de concertation, etc.). Prémonitoire, le président de cette cour d'assises m'a même demandé si je ne craignais pas de retourner ensuite à la Santé et m'a félicité pour mon courage.

Cela n'a pas manqué. La reprise fut difficile. Le directeur de la Santé ne manqua pas de m'incendier, sans cérémonie, sans s'arrêter à mes arguments. J'avais prêté serment et il ne s'agissait pas pour moi d'autre chose que de témoigner en mon âme et conscience. Je n'avais en rien nui à l'image de sa maison d'arrêt. Il ne se rendit pas non plus à mon argument qui consista à lui dire qu'en allant à la cour d'assises j'avais estimé accomplir mon devoir de citoyen et j'avais eu le sentiment d'assumer ainsi mon sens du service public. **J'étais fier d'avoir témoigné dans ce procès,** même si, je m'en apercevais, cette façon de faire mon travail agaçait. **Si c'était à refaire, je le referais. Je pense que j'y serais aujourd'hui encore plus efficace.** En Algérie, j'étais du côté de mon grand-père. Il n'avait pas joué le jeu de la colonisation. En prison j'entendais ne pas jouer le jeu de l'injustice, de l'aveuglement, de l'hypocrisie. J'entendais ne servir qu'une seule cause, celle d'une humanité qui ne veut pas enlever le soleil, la patrie et le pain, même aux plus imméritants de ses fils et de ses filles. Quant à ma nomination au choix, la réponse du directeur eut l'avantage d'être limpide. Tant qu'il serait à ce poste, il s'y opposerait avec la dernière des énergies, car il me jugeait indigne d'être nommé directeur d'établissement. De toutes les manières, je n'avais pas fait d'études universitaires, je devais donc m'estimer heureux d'être arrivé jusque-là et me contenter de mon grade de directeur technique. Et il me nettoie devant un témoin : la directrice adjointe. Cette dernière acquiesce : « Mais M. Sammut, soyez raisonnable, vous êtes déjà directeur technique ! » Ce à quoi je lui réponds : « Est-ce que par hasard M. le directeur ne souhaiterait pas devenir un jour directeur régional ? Si cette proposition lui est faite, pensez-vous qu'il se dira : "Sois raisonnable, tu es déjà directeur d'établissement cela te suffit ?" Eh bien moi, je veux être directeur d'établissement. Je suis proposé et je me sens prêt. »

Pensez-vous qu'ils furent gênés ? Pas du tout. Au contraire, le directeur me répondit que j'étais un homme immature, farfelu, instable, imprévisible, incontrôlable, mon comportement récent le confirmait. Je sortis effondré de cet entretien, et quittai ce jour-là l'établissement meurtri et écœuré.

Cette année (en 2001) j'ai encore une fois été proposé au choix en qualité de directeur d'établissement. J'ai répondu que ce n'était pas la peine de me faire une telle proposition puisque de toutes les manières le directeur allait s'y opposer. J'espère seulement que ce livre donnera à réfléchir à l'administration, que mes idées passeront, que l'on me donnera l'occasion de les mettre en pratique…

En l'écrivant avec mes deux amis, j'enfreins la règle d'or de la pénitentiaire : le silence. Je parle, je témoigne, je dénonce et je propose des pistes, des solutions. Je suis un général qui brûle ses vaisseaux, pour mieux servir. Ça passe ou ça casse. Il y a dans cette entreprise une part d'inconscience que je suis en train de mesurer petit à petit, mais le risque pris est à la mesure de l'enjeu. Je me condamne à être entendu. Je retrouve le plaisir de ce que je n'ai cessé d'être : lucide et professionnel.

J'ai changé. Avant, j'épousais les dysfonctionnements de l'institution, aujourd'hui je les rejette, je les combats. Je suis un professionnel des prisons. Je suis là où je suis pour travailler et je brûle d'apporter ma contribution à la rénovation de l'ensemble. Je ne suis pas le seul. Nous sommes nombreux à vouloir faire vivre un débat d'idées autour de ce thème.

Lorsque l'on se retrouve dans l'exercice d'une responsabilité et non plus dans la revendication d'une idéologie, il faut savoir trouver un compromis. J'ai quitté – assez rapidement – le syndicat auquel j'avais adhéré parce que je me suis rendu très vite compte qu'il fallait entrer dans le jeu politique. Il y avait divorce entre ma démarche militante sincère et mon projet pénitentiaire.

Ce sont les politiques, les syndicats, qui choisissent les directeurs au bout du compte. Tous oublient qu'ils ont été élus pour être au service du citoyen. Le pouvoir a trop longtemps été dévoyé dans les prisons et a fabriqué une bureaucratie, un système qui fait peur, qu'il convient de remettre à plat, de réformer, quelles que soient les pertes de privilèges.

Dans la pénitentiaire, pour les personnels, pour les détenus, trop d'obligations perdurent. La profession doit ouvrir les yeux. Cela est contre-nature et pervertit le système. Le vrai problème réside dans cette contradiction. On pourrait tenter de « réconcilier », ou à tout le moins et plus justement de « concilier » surveillants et détenus, dans l'intérêt bien compris de chacun, et dans le strict respect d'un nouveau règlement à établir en concertation de part et d'autre, mais on se heurterait sans aucun doute à de puissants lobbies sécuritaires, antagonistes.

À la lumière de mes trente années d'expérience, il me semble qu'une nécessité s'impose. Celle de l'élaboration et de la mise en œuvre d'une loi pénitentiaire innovante. Le droit est structurant.

N'est-il pas temps que la prison cesse d'être un lieu d'arbitraire où les événements de la vie quotidienne, et les règlements sont tributaires du bon vouloir des personnels et notamment de directeurs dont certains se comportent en véritables autocrates jouissant d'un pouvoir absolu ? Chaque établissement est aujourd'hui régi par un règlement intérieur souverain…

N'est-il pas temps d'affirmer que les prisons sont des prisons de la République et qu'elles sont dépendantes d'un État de droit ?

Ce droit qui est le même pour tous, personnels pénitentiaires « libres » et personnes détenues. Ce droit qui s'impose à tous avec la même exigence.

N'est-il pas temps que la prison ne soit plus une zone, un territoire, de non-transparencee, un monde obscur et ténébreux, une zone interdite aux citoyens ?

N'est-il pas temps qu'il n'y ait plus rien à cacher dans les prisons ? Qu'elles ne soient plus des lieux fermés, sous le joug parfois de certains détenus, des lieux que les personnels s'évertueraient à dissimuler afin de préserver un pouvoir arbitraire et brutal ?

La prison devrait être un lieu *par excellence* de règles et de droits dans lequel les personnels exécuteraient les missions que leur confierait l'État.

Un lieu exemplaire se pliant à une seule règle : le professionnalisme.

Cette loi pénitentiaire passerait par l'édification d'un système nouveau dont l'un des piliers serait la transparence. Un système qui permettrait d'installer dans la durée de nouvelles pratiques n'excluant aucun des acteurs en présence.

Certes, la prison en tant qu'entité renvoie à un passé immémorial, à des traditions ancestrales, mais cela ne doit pas empêcher de sauter le pas de la modernité au risque d'un recul de civilisation et d'une implosion de notre société.

* *
*

ZOOM ARRIÈRE SUR LA PREMIÈRE RENCONTRE DU PÉNITENTIAIRE ET DU PRISONNIER

Julian m'examinait attentivement, un sourire un peu ironique aux lèvres. Nous n'avions jusque-là échangé que des banalités. Et puis tout à trac, après avoir passé une main nerveuse sur son crâne dégarni, il m'a demandé ce qui pouvait bien pousser un homme à vouloir au nom de la « société », surveiller – quelquefois au péril de sa vie – d'autres hommes dont chacun se plaît à dire qu'ils sont les rebuts de l'humanité.

Je lui ai répondu sans précipitation.

Facile d'expliquer.

« Je suis un fonctionnaire. Ce boulot me donne la sécurité de l'emploi, mais j'ai été recruté sur concours. Au mérite. La plupart du temps, on n'entre pas à la pénitentiaire par vocation, mais poussé par la nécessité. Échapper au chômage, voilà ce qui compte. Et puis ce travail, il faut bien qu'il soit fait. Là où le bât blesse souvent, c'est quant à la manière dont il est fait. »

Puis, je suis entré un peu plus dans les détails.

« Dans la pénitentiaire, il y a le personnel de surveillance, le personnel de direction, le personnel administratif, le personnel socio-éducatif et le personnel technique.

« Seules deux voies permettent d'y faire son trou. Celle des concours internes et celle des concours externes, à moins que l'on ne soit détaché d'une autre administration, ou que l'on n'émarge au quota des emplois réservés.

« La voie des concours externes n'est accessible qu'à ceux qui sont déjà diplômés. Aujourd'hui, si tu n'as pas le baccalauréat, il te sera difficile de réussir à devenir surveillant. Si tu n'es pas titulaire d'un Deug au départ, il te sera impossible de devenir sous-directeur. Enfin, si tu n'es pas âgé de quarante ans au moins et si tu n'as pas une maîtrise, tu ne seras jamais directeur.

« La voie des concours internes n'est accessible qu'après quatre ans d'ancienneté, sans limite d'âge. Le premier examen pour devenir surveillant consiste à rédiger une dictée et à passer des tests de mathématiques. On finit par des QCM de culture générale.

« Au bout de quelques années d'exercice, l'examen de surveillant-chef est accessible.

« Frédéric, l'un de mes meilleurs amis, a connu cela. Il a été chargé, il y a quelques années, dans un bloc, de l'encadrement des surveillants : les surveillants aux étages, au rond-point, ceux qui gèrent les mouvements, les "palais" (les extractions pour les palais de justice, les audiences) et ceux de l'équipe de nuit.

« Les nuits en prison sont plus longues que les journées. Un surveillant par étage y effectue des rondes toutes les trois heures. Un autre casematé dans son mirador pour trois heures également assure son tour de garde. Il est armé d'un fusil. En service de nuit, seul le premier surveillant se trouve en possession de la clef qui ouvre les portes de toutes les cellules de la division.

« N'importe quel incident peut survenir dans une cellule et il faut pouvoir contrôler la situation. Le gradé doit être trouvé, averti le plus vite possible afin que le détenu puisse être secouru si nécessaire.

« Combien d'accidents graves se sont produits parce que le chef était introuvable ? Combien de fois ai-je entendu des prisonniers taper sur ce qu'ils pouvaient et hurler du fond de leurs cellules parce que l'un des leurs "faisait" un accident cardiaque et qu'il fallait ouvrir tout de suite pour constater et évaluer les dégâts ?

« Combien de fois ses collègues n'ont-ils pas entendu, au cœur de la nuit, des bruits effrayants, des cris déchirants, des plaintes sourdes, des chocs violents, des appels au secours, qu'ils ne pouvaient faire cesser, ou dont ils ne pouvaient comprendre les raisons, puisqu'il leur était impossible d'ouvrir les cellules ? Ils attendaient tous l'arrivée de celui qui permettrait enfin de savoir... Le plus souvent il s'agissait de pouvoir délivrer, secourir un malade.

« Au bout de trois quarts d'heure, il était la plupart du temps trop tard. Ils trouvaient par exemple deux détenus en pleurs ou non, à bout de nerfs, prêts à les tuer, et un homme gisant sur un lit, "un delta charly delta", mort de chez mort... Un décès qualifié de mort naturelle, puisque le médecin enfin sur les lieux rédigeait un certificat de décès l'attestant. Pas d'autopsie, tout le monde couvrant tout le monde et la vie reprenait son cours comme si rien ne s'était passé.

« Dans ces conditions tu comprendras que la haine des détenus envers les matons est parfois tenace. »

Julian ne me loupa pas, je m'en souviens. « Si, François, votre ami Frédéric pouvait réagir. Il avait le devoir de dénoncer les faits à sa hiérarchie, de rédiger chaque fois des rapports. Vous êtes tous les rois du rapport paraît-il, quand il s'agit de dénoncer un détenu. »

Il avait raison sur le fond. Je l'ai laissé parler, il ne connaissait rien de moi. Puis j'ai continué. Converser avec Julian me faisait du bien.

« Les journées dans les prisons sont longues aussi pour le personnel, du simple surveillant au chef. Il ne faut pas croire. Le grade de "chef" d'antan a d'ailleurs été remplacé aujourd'hui par celui de "chef de service pénitentiaire" (CSP).

« Changer les appellations ne veut pas dire changer les hommes et surtout modifier leurs habitudes.

« Frédéric, ça ne le dérangeait pas qu'on l'appelle "chef". Même aujourd'hui, alors qu'il a changé de service, les détenus dans les coursives, lorsqu'ils l'aperçoivent, le hèlent en gueulant "chef, chef". Il y est habitué.

« Avant ce grade n'était pas ouvert aux externes, il s'atteignait par promotion interne.

« De nos jours, afin de soi-disant moderniser l'administration, il est désormais accessible par un concours ouvert aux bacheliers. Les surveillants en bas de l'échelle doivent, eux, compter quatre ans de bons et loyaux services avant de pouvoir prétendre passer le concours de CSP.

« Il y a plus haut que le CSP, bien sûr. Le super-gradé, c'est le "chef de détention". Il porte de belles barrettes dorées sur son uniforme, et a sous ses ordres plusieurs CSP.

« Toutes les décisions importantes concernant parfois plusieurs centaines de détenus sont prises par lui. Le cœur névralgique de la prison est incarné par cet homme ou cette femme.

« Le chef de détention est la courroie de transmission indispensable entre la base et la direction.

« Son importance est telle, que si cet homme est un "salopard", – j'en ai connu –, les pires erreurs et injustices peuvent être commises sans que jamais la direction ne soit mise au courant.

« Du surveillant au chef de détention, tu l'as vu, chacun porte un uniforme. Ils ont d'ailleurs mauvaise réputation, puisqu'il se dit communément que seuls les bons à rien qui ratent le concours de la police nationale parviennent à intégrer la pénitentiaire.

« Cet uniforme du personnel est bleu et de mauvaise qualité. En Nylon, il s'imprègne très vite de transpiration. Le pull-over est assez joli, bleu marine traversé par une bande transversale plus claire sur laquelle est inscrite en lettres blanches la mention : *Administration pénitentiaire.*

« Et comme ils ont souvent besoin, dans l'exercice de leur fonction, d'être protégés de la pluie et du froid, une parka bleu marine, du type parka militaire, leur est octroyée par l'administration.

« Un jour, jeune surveillant, Frédéric m'a aussi raconté avoir oublié son badge, fierté de sa profession, estampillé : "administration pénitentiaire." Un premier surveillant croisé au détour d'une coursive, l'ayant remarqué, lui avait expliqué que désormais il était marié avec la prison. Qu'il allait y vivre parfois jusqu'à trente-six heures d'affilée, qu'il la suinterait tous les jours. Que ses moindres frémissements lui deviendraient familiers. La prison allait devenir sa seconde peau, sa première famille. Avec ses bruits de clés, et les sonneries qui rythment le quotidien ; avec les éclats de rire, les larmes, les tensions et les affrontements.

« C'est ce jour-là qu'il a compris que lui aussi était un "détenu", que la prison était désormais sa maison, qu'entre elle et lui – il avait signé pour un long bail –, c'était désormais à la vie à la mort. Mais qu'à la différence des prisonniers, il l'aimait, lui, la prison.

« Dans cette paradoxale société d'hommes en vase clos[1], que le contexte déshumanise au fil du temps aussi sûrement que le ressac des océans lamine les fonds marins, où la violence s'avère la monnaie courante des rapports entre personnes, il se sentait comme un poisson dans l'eau. Pourtant, Frédéric me l'a confié récemment, il en est encore à se demander aujourd'hui, si la frontière, la différence de statut, est bien nette entre celui de chiens de garde qui leur est dévolu de fait, à ses collègues et à lui, et celui de chiens soumis, dociles et repentants que les prisonniers sont censés adopter, pour ne pas dire épouser.

« La course au galon, cet étalon de la hiérarchie entre surveillants, régit les rapports à tous les étages des établissements pénitentiaires. Le surveillant de base arbore un chevron argenté et se lance à la conquête des sommets. Il prend alors du grade et s'en voit attribuer deux ou trois en devenant surveillant principal. Il peut même aller plus loin et décrocher la timbale : une, deux, ou trois barrettes dorées. De toutes les façons, dans quelque établissement pénitentiaire que ce soit, la règle d'or est d'obéir quasi aveuglément à sa hiérarchie **à défaut de la respecter.** Ce dogme, le surveillant novice a tôt fait de l'expérimenter, on la lui rentrerait dans le crâne au marteau piqueur s'il le fallait. »

Julian me pressa alors de me montrer plus précis. Il souhaitait en savoir plus sur les prisons. Cette discussion avec lui m'entraînait plus loin que je n'aurais cru. Nous nous faisions part de nos vécus respectifs dans cette nébuleuse pénitentiaire, et d'une certaine manière, cela m'obligeait à me remettre en question. Moi, je la fré-

1. Chaque prison met en œuvre son propre règlement intérieur. D'un établissement à l'autre de notables différences peuvent être observées.

quentais depuis un bail la pénitentiaire, j'en vivais non sans souffrances et blessures secrètes. Lui, le détenu, la découvrait depuis seulement quelques mois avec surprise et douleur. Chacun de nos vécus était loin de la sereine réalité comptable, que le ministère de la Justice rend publique tous les ans dans un document intitulé *Les chiffres clés de l'administration pénitentiaire*. Mais il me semblait que nous devions en tenir compte pour étayer nos points de vue respectifs. Nous savions, à la fois pour des raisons communes et différentes, qu'il y a loin en la matière de la coupe aux lèvres, que derrière les chiffres se trouve bien souvent une autre réalité dont ils ne peuvent en aucun cas rendre compte. Une réalité muette, une réalité tue, un vécu infernal...

Aussi, dans les jours qui suivirent, afin de mieux répondre à ses attentes et interrogations, je lui dressai, en y incluant certaines des données de ce document, un état des lieux des conditions de travail des personnels de mon administration. Moins exhaustif que celui qui va suivre (complété de tableaux pour l'occasion de ce livre) mais dans lequel je me montrais aussi précis que possible sur les questions d'effectifs budgétaires, d'avancement, de métiers et salaires, de primes, de soutien social, et de médecine du travail.

Chapitre V

LES PERSONNELS

I/Les effectifs budgétaires

Le 1er janvier 2001, 26 233 agents représentaient les effectifs budgétaires de l'administration pénitentiaire, l'ENAP mise à part, dont :

– 20 259 personnels de surveillance (19 987 au 1er janvier 1999) ;

– 2 320 personnels administratifs (2 262 au 1er janvier 1999) ;

– 1 667 DSPIP et personnels d'insertion et de probation (1 542 au 1er janvier 1999) ;

– 529 assistants de service social (538 au 1er janvier 1999) ;

– 674 personnels techniques (675 au 1er janvier 1999) ;

– 356 directeurs des services pénitentiaires et directeurs régionaux (342 au 1er janvier 1999) ;

– 158 personnels contractuels et professeurs (128 au 1er janvier 1999).

Au début de cette année toujours, l'effectif budgétaire de l'ENAP s'élevait à 186 agents dont 14 personnels de direction, 56 personnels administratifs et de service technique, 6 personnels techniques, 18 travailleurs sociaux, 66 personnels de surveillance, 2 professeurs de l'Éducation nationale et 24 contractuels.

Le 1er janvier 2001, selon le ministère de la Justice, l'administration pénitentiaire disposait pour 100 détenus de 43 employés de surveillance et d'un travailleur social. Ce dernier, en milieu ouvert, est donc chargé du suivi d'une centaine de dossiers en moyenne. Tous ces chiffres ne résistent pourtant pas à l'épreuve des faits et de l'expérience vécue, bien que cette administration ait la possibilité de bénéficier quand elle le souhaite des services de fonctionnaires appointés par d'autres ministères (Éducation nationale, Santé...), de vacataires, ou d'employés de groupements privés. Ce fut par exemple le cas dans le cadre du programme « 13 000 », où, pour la direction et l'administration (154 employés), la maintenance et le transport (213 employés), l'hôtellerie (126 employés), la santé (313 employés), le travail et la formation professionnelle (215 employés), ce sont 1 021 personnels privés qui ont été mis à contribution.

De 1990 à 2001, les effectifs budgétaires ont crû de 22,5 %, passant de 21 407 agents pour 45 419 détenus à 26 233 agents pour 47 837 détenus. Depuis le 1er janvier 2001, les effectifs budgétaires de l'ENAP (École nationale de l'administration pénitentiaire) et de l'AP sont comptabilisés séparément.

II/L'AVANCEMENT

• **La formation** des agents de l'administration pénitentiaire est assurée par :

– l'École nationale d'administration pénitentiaire (ENAP) qui dispense aussi bien les formations initiales et d'adaptation que la formation continue à vocation nationale ou réservée à un public particulier plus spécifique ;

– les services déconcentrés qui dispensent aussi de la formation continue.

• **Les formations initiales** concernent :

– les élèves surveillants (303 élèves pour la 143e promotion de juillet 1998 à février 1999, 279 élèves pour la 147e promotion de janvier 2000 à juillet 2000, 403 élèves pour la 148e promotion de mai 2000 à novembre 2000, 478 élèves pour la 149e promotion de septembre 2000 à janvier 2001, 495 élèves pour la 150e promotion de novembre 2000 à juillet 2001) ;

– les élèves conseillers d'insertion et de probation (52 élèves pour la 3e promotion d'octobre 1997 à octobre 1999, 177 élèves pour la 4e promotion d'octobre 1998 à octobre 2000, 176 élèves pour la 4e promotion d'octobre 1998 à septembre 2000, 98 élèves pour 5e promotion de septembre 1999 à septembre 2001, 71 élèves pour la 6e promotion d'octobre 2000 à septembre 2002) ;

– les élèves directeurs (19 élèves pour la 29e promotion de septembre 1998 à septembre 2000, 22 élèves pour la 30e promotion de janvier 2000 à janvier 2002, 22 élèves pour la 31e promotion de septembre 2000 à septembre 2002) ;

– les élèves chefs de service pénitentiaire (26 élèves pour la 4e promotion de février 1998 à février 1999, 32 élèves pour la 6e B promotion d'avril 2000 à octobre 2000, 101 élèves pour la 7e promotion de novembre 1999 à août 2000, 113 élèves pour la 8e promotion de de mai 2000 à mai 2001).

• **Les formations d'adaptation** sont destinées aux :

– stagiaires chefs de service d'insertion et de probation (35 stagiaires pour la 4e promotion de septembre 1998 à septembre 1999, 33 stagiaires pour la 5e promotion de septembre 1999 à septembre 2000) ;

– personnels administratifs (264 agents de janvier à juin 1999) ;

– personnels techniques (65 agents de janvier à juin 1999) ;

– stagiaires chefs de service pénitentiaire (20 élèves pour la 5e promotion de juin 1999 à janvier 2000) ;

– premiers surveillants (59 agents de février à avril 1999, 51 agents de juin à septembre 1999, 57 agents pour la 7e B promotion d'octobre 2000 à décembre 2000) ;

– formateurs (14 agents pour la 22e promotion de novembre 1998 à mars 1999), ;

– orienteurs (69 agents de mai à juillet 1999) ;

– moniteurs (28 agents d'avril à juillet 1999).

• **La formation continue** :

– celle assurée par l'ENAP a été suivie par 1 232 stagiaires durant ce qui correspond à 4 119 jours de formation ;

– celle dispensée par les services déconcentrés de janvier à décembre 2000 a été suivie par 21 577 stagiaires durant ce qui correspond à 56 432 jours de formation. Parmi eux, 19 941 se trouvaient en stage de « perfectionnement et professionnalisation », 1 480 autres en stage de « préparation aux concours et examens ».

III/Métiers et salaires

Traitements nets mensuels (primes comprises) en 2001

Les personnels	Premier échelon en francs	Premier échelon en euros	Dernier échelon en francs	Dernier échelon en euros
Directeur général	21 723	3 312	31 989	4 877
Directeur des services pénitentiaires	11 465	1 748	24 932	3 801
Chef de service pénitentiaire	9 367	1 428	16 610	2 532
Premier surveillant	12 041	1 836	14 809	2 258
Surveillant	8 732	1 331	13 469	2 053
Attaché d'administration et d'intendance	10 248	1 562	22 235	3 390
Secrétaire administratif	9 211	1 404	14 788	2 254
Adjoint administratif	7 835	1 194	11 421	1 741
Agent administratif	7 659	1 168	9 664	1 473
Directeur SPIP	14 847	2 263	21 143	3 223
Chef des services d'insertion et de probation	12 113	1 847	16 206	2 471
Conseiller d'insertion et de probation	8 947	1 364	15 510	2 364
Conseiller technique de service social	12 113	1 847	16 187	2 468
Assistant de service social	8 969	1 367	15 488	2 361
Directeur technique	10 046	1 532	21 332	3 252
Technicien	9 649	1 471	15 338	2 338
Adjoint technique	8 248	1 257	13 813	2 106
Agent des services techniques	7 680	1 171	9 673	1 475

À noter que les directeurs perçoivent une indemnité de responsabilité dont la moyenne (non compte tenu du fait qu'elle peut être minorée ou majorée de 10 %) varie énormément selon les fonctions occupées (chef d'établissement, adjoint au chef d'établissement ou cadre en établissement) : de 650 F à 2 174 F.

Entrer dans la pénitentiaire, c'est avoir le choix nous dit-on. Des métiers tout à fait différents peuvent y être exercés et de nous les énumérer, traitements nets mensuels en francs (primes comprises) en sus. Revue de détails de la situation en 2000 :

– élève surveillant (8 167 F/1 245 euros : 1er échelon) ;

– surveillant (8 402 F/1 281 euros : 1er échelon – 13 363 F/2 037 euros : dernier échelon) ;

– premier surveillant (11 508 F/1 754 euros : 1er échelon – 14 664 F/2 236 euros : dernier échelon) ;

– élève chef service pénitentiaire 2e classe (8 526 F/1 300 euros : 1er échelon) ;

– chef service pénitentiaire 2e classe (8 939 F/1 363 euros : 1er échelon – 14 720 F/2 244 euros : dernier échelon) ;

– chef service pénitentiaire 1re classe (12 634 F/1 926 euros : 1er échelon – 16 071 F/2 450 euros : dernier échelon) ;

– élève conseiller d'insertion et de probation (8 555 F/1 304 euros) ;

– conseiller d'insertion et de probation 2e classe (8 772 F/1337 euros : 1er échelon – 14 080 F/2 146 euros : dernier échelon) ;

– conseiller d'insertion et de probation 1re classe (10 879 F/1 659 euros : 1er échelon – 15 225 F/2 321 euros : dernier échelon) ;

– chef des services d'insertion et de probation (11 894 F/1 813 euros : 1er échelon – 15 911 F/2 426 euros : dernier échelon) ;

– assistant de service social (9 126 F/1 391 euros : 1er échelon – 14 599 F/2 226 euros : dernier échelon) ;

– assistant de service social principal (11 301 F/1 723 euros : 1er échelon – 15 786 F/2 407 euros : dernier échelon) ;

– conseiller technique de service social (12 345F/1 882 euros : 1er échelon – 16 492 F/2 514 euros : dernier échelon) ;

– agent de service technique 2e classe (7 637 F/1 164 euros : 1er échelon – 9 546 F/1 455 euros : dernier échelon) ;

– agent administratif (7 169 F/1 161 euros : 1er échelon – 9 536 F/1 454 euros : dernier échelon) ;

– adjoint administratif (7 829 F/1 194 euros : 1er échelon – 11 259 F/1 716 euros : dernier échelon) ;

– secrétaire administratif (8 997 F/1 370 euros : 1er échelon – 14 663 F/2 235 euros : dernier échelon) ;

– attaché d'administration et d'intendance (10 096 F/1 539 euros : 1er échelon – 22 140 F/3 375 euros : dernier échelon) ;

– élève directeur 2e classe (9 715 F/1 481 euros : 1er échelon) ;

– directeur (12 599 F/1 921 euros : 1er échelon – 23 720 F/3 616 euros : dernier échelon) ;

– chef de travaux (7 953 F/1 212 euros : 1er échelon – 11 597 F/1 768 euros : dernier échelon) ;

– instructeur technique (8 821 F/1 345 euros : 1er échelon – 13 716 F/2 091 euros : dernier échelon) ;

– professeur technique (8 768 F/1 337 euros : 1er échelon – 14 811 F/2 258 euros : dernier échelon) ;

– directeur technique (11 290 F/1 721 euros : 1er échelon – 16 976 F/2 588 euros : dernier échelon).

IV/Primes et régimes indemnitaires

Le régime indemnitaire des personnels de l'AP a connu une évolution sensible depuis le 1er janvier 1998. Il a en effet été procédé à la suppression de leurs deux indemnités pénitentiaires (l'*indemnité particulière de sujétions* et l'*indemnité forfaitaire de sujétions*) et à la création d'une prime baptisée : *prime de sujétions particulières aux personnels administratifs et de service de l'administration pénitentiaire* (décret n° 98-966 du 30 octobre 1998). Cette prime décernée sous la forme de montants forfaitaires est calculée suivant un pourcentage du traitement indiciaire brut moyen des différents grades des corps des personnels administratifs et de service de l'administration pénitentiaire. Selon les grades, le taux moyen de cette prime représente 10 à 15 % du traitement indiciaire moyen. Ces personnels demeurent toutefois bénéficiaires des primes spécifiques fixées en montants forfaitaires annuels par grade indexés sur la valeur du point fonction publique : l'indemnité particulière de sujétions concernant les agents des catégories A et B, et l'indemnité forfaitaire de sujétions destinée aux agents de la catégorie C.

Plusieurs indemnités ont été récemment revues à la hausse :

• la prime de surveillance de nuit depuis le 1er janvier 2001. Le montant de base est passé de 48,70 F à 75,00 F par nuit pour chaque agent. Cette prime concerne les activités exercées la nuit, sauf les dimanches et jours fériés ;

• la prime de sujétions spéciales depuis le 1er janvier 2001 également. Le taux de celle allouée à tous les personnels de direction est passé de 17 à 19 %. Celui de celle allouée aux agents de la filière technique a été revu à la hausse de 17 à 19 % pour les directeurs techniques, de 19 à 21 % pour les techniciens, et de 21 à 22 % pour les adjoints techniques ;

• l'indemnité pour charges pénitentiaires a connu aussi une hausse depuis le 1er janvier 2001. Le taux de base et le taux majoré de cette indemnité ont été revalorisés de 1 700 F. Soit un bond de 950 F à 2 650 F pour le premier, et de 2 550 F à 4 250 F, pour le second.

V/Le soutien social

Les fonctionnaires de l'administration pénitentiaire ont droit, à l'instar de l'ensemble des fonctionnaires du ministère de la Justice, aux avancées de l'action sociale orchestrée par la direction de l'administration générale et de l'équipement et mise en musique par le CNAAS (Conseil national d'administration de l'action sociale), une instance paritaire au sein de laquelle siègent des représentants de toutes les directions du ministère et des représentants des syndicats.

Concrètement cela permet aux assistantes sociales du personnel de proposer et de faire accorder secours ou prêts aux fonctionnaires rencontrant des difficultés financières.

En 1998, par exemple, 1 615 420,11 F (246 253 euros) ont ainsi été attribués en qualité de secours à 519 agents, ce qui représente une moyenne de 3 700 F (564 euros) par secours et 663 300 F (101 113 euros) ont été accordés sous forme de prêts à 126 agents, soit une moyenne de 5 200 F (793 euros) par prêt. En 1999, ce sont 135 agents qui se sont vu attribuer 732 180 F de prêts d'honneur, et 434 qui ont pu bénéficier de 1 606 319,06 F de secours.

Différents types d'aides au logement ont été accordés aux agents de la pénitentiaire en 1998 :

– une aide à l'installation (AIL) attribuée à 105 agents (montant total : 307 142 F/46 820 euros, ce qui correspond à une moyenne de 3 000 F (458 euros) par agent) ;

– un prêt à l'installation (PIL) attribué à 49 agents (montant total : 298 170 F/45 453 euros, une moyenne de 6 000 F (915 euros) par agent) ;

– un prêt accession à la propriété (PAP) attribué à 354 agents (montant total : 7 080 000 F/1 079 339/euros, une moyenne de 20 000 F (3 049 euros) par agent).

En 1999, ce sont 64 agents de l'administration pénitentiaire qui se sont vu accorder un prêt à l'installation au logement (PIL) – prêt de 5 952,27 F en moyenne par cas –, et 411 autres agents un prêt d'accession à la propriété (PAP)[1].

VI/La médecine du travail

• Médecine de prévention. CHSS : 125 médecins de prévention vacataires ou salariés d'associations de médecine du travail assurent chaque année la surveillance médicale des personnels du ministère de la Justice et incitent, sous les auspices de la médecine de prévention, les fonctionnaires de l'administration pénitentiaire à profiter d'examens annuels. En 1999, l'administration pénitentiaire avait mis en place 11 CHSS (comités d'hygiène et de sécurité spéciaux) dans ses établissements, afin de compléter l'action des CHSS départementaux. Il faut savoir que la mesure préconisée de création d'un

1. Dans les deux cas, le montant global ne nous a pas été communiqué.

comité d'hygiène et de sécurité par établissement, mise en application en 1992 dans les quatre principaux d'entre eux : Fleury-Mérogis, Fresnes, la Santé et les Baumettes, puis en 1997 dans sept autres : Loos, Val-de-Reuil, Moulins, Metz, Nantes, Lyon, Bois-d'Arcy, a fait florès depuis l'arrêté ministériel du 1er décembre 1998 dans les établissements de 50 agents et plus. L'implantation de 94 nouveaux CHSS a été préparée en 1999 dans les établissements répondant à ces derniers critères de personnels et est devenue une réalité depuis l'émission d'une circulaire administrative le 25 février 2000.

Après avoir suivi une formation dans les établissements pénitentiaires de métropole, 210 agents chargés de la mise en œuvre des règles d'hygiène et de sécurité (ACMO) ont été nommés en 1999 par les dirigeants des services déconcentrés.

Julian, dès le début de nos conversations, m'avait fait part de ses réticences. Il éprouvait le sentiment qu'une analyse pragmatique des rapports détenus-surveillants devait prendre en considération bien plus d'éléments que la compréhension et l'étalage de l'organisation de l'administration pénitentiaire, si complexe fut-elle. Ce qui ne m'empêcha pas de continuer dans cette voie. J'avais des comptes à régler avec ma propre vie...

Bien sûr, admit tout de même Julian, plus la condition des personnels pénitentiaires serait optimisée, mieux prise en compte, plus celle des détenus s'en trouverait améliorée. Et elle en avait bien besoin.

VII/La réforme nécessaire de l'ENAP

Il y a loin du rêve à la réalité, de la coupe aux lèvres, nous sommes-nous déjà dit. Tu peux légitimement espérer après avoir réussi le concours d'entrée à l'École nationale de l'administration pénitentiaire, en ressortir avec un bagage professionnel en mains. En tout cas tu es loin de t'imaginer que l'on va faire de toi un authentique crétin de porte-clefs, pas du tout préparé à ce que sera son avenir de salarié dans le secteur qu'il s'est choisi.

J'en ai vu des jeunes sortis frais émoulus de cette école avec pour tout bagage l'apprentissage d'un peu de droit pénal et de procédure pénale, celui de l'organigramme de l'administration pénitentiaire, l'acquis de quelques leçons de tirs afin de ne pas rater les prisonniers qui tenteraient de s'évader, et c'est tout.

Je les ai vus un par un, stagiaires lâchés dans les coursives de la maison d'arrêt de Fresnes, sans aucune formation de psychologie élémentaire, devant affronter sans filet le monde carcéral. Certains en meurent. Se suicident ou/et subissent les agressions des condamnés.

Autre carence : aucun cadre, aujourd'hui encore, n'est formé à l'ENAP pour gérer les ressources humaines. Ce qui n'est le cas d'aucune autre administration, notamment dans celles de la police et de l'armée. Dans les établissements importants, il y a bien un responsable des ressources humaines, mais il s'agit d'un sous-directeur parachuté à ce poste sans compétences particulières ni formation.

En 1997, heureusement, un audit sollicité par la Chancellerie avait montré les faiblesses de l'institution. Une vraie école de « pieds nickelés » où l'on jouait les apprentis sorciers.

Avant, cette école était basée dans la ville pénitentiaire de Fleury-Mérogis. Aujourd'hui, ère de délocalisation oblige, l'ENAP ouvre chaque matin ses portes à Agen.

VIII/De la précision des chiffres à la réalité du terrain

Un établissement pénitentiaire, on peut le dire, c'est déjà une grosse entreprise. Ceux de Fresnes ou de Fleury-Mérogis sont des villes dans des villes.

Outre un millier de surveillants qui y travaillent dans les quartiers des hommes, des femmes, des jeunes détenus, et à l'hôpital pénitentiaire, des familles entières, enfants compris, vivent sur le domaine de ces établissements, dans des petits pavillons ou des appartements de type HLM selon leurs grades et ressources.

En matière de recrutement de surveillants, la région parisienne tient le pompon. Elle en engage le plus grand nombre. Ils montent souvent de province où ils étaient pour la plupart au chômage, tout en sachant qu'ils ne pourront avant longtemps rentrer dans leur province natale. Les autres, dans une notable proportion, sont antillais et doivent surmonter un fort sentiment de déracinement ce qui ne facilite pas leurs rapports avec leurs collègues et les détenus.

Cette frustration du déracinement ou de l'éloignement s'exacerbe plus ou moins au fil du temps. C'est un facteur non négligeable à prendre en compte dans le traitement du quotidien carcéral par le personnel pénitentiaire lorsque l'on sait qu'il faut compter une dizaine d'années environ pour espérer être muté dans sa région d'origine, parfois plus pour les Antillais, Réunionnais, Guyanais, ou originaires des Tom.

Les nouveaux surveillants se retrouvent donc, au début de leur carrière, « lâchés » (répétons le mot) dans un monde impitoyable, sans attaches familiales et sans soutien psychologique.

Dès leur première affectation, ils sont placés aux étages.

Les plus *suceux* finissent par « conquérir » des postes fixes, c'est-à-dire des postes de jour.

Il faut les voir courir, une fois finie leur nuit, pour aller retrouver, qui leur épouse, qui leur petite amie, ou qui leur mère en province, afin de profiter au mieux des deux jours de repos qui suivent !

Comment voulez-vous qu'ils s'investissent dans leur travail, alors qu'ils sont fatigués physiquement, nerveusement ; fragilisés psychologiquement parce que privés de liens affectifs élémentaires ?

Ils attendent donc leur mutation en rongeant plus ou moins leur frein, avec un sentiment d'injustice et de frustration qui rejaillit, c'est inévitable, sur le rendu de leur travail. À ce sujet, le dialogue avec l'administration se révèle le plus souvent inefficace. Les bilans de compétence n'en tiennent absolument pas compte. Ils n'ont plus qu'une solution : patienter et encore patienter, espérer que cela se passe. Bonjour pour la motivation !

IX/Petit vade-mecum de survie à l'usage des prisonniers

S'il veut éviter un maximum d'embrouilles avec les surveillants, la lanterne du prisonnier doit juste être un peu éclairée. Suivent deux ou trois choses vues qui pourront lui servir de vade-mecum.

Le surveillant d'étage c'est celui qui se trouve en contact avec le détenu, le maître du « oui » ou du « non » au détenu. Le détenteur immédiat du pouvoir.

Si par malheur il refuse d'accéder à une requête du prisonnier, celui-ci a toujours la possibilité d'en référer au premier surveillant pour se plaindre. Si après cela, il n'obtient toujours rien, il peut demander à être entendu par le surveillant-chef et en cas de refus écrire au directeur. Il n'est pas besoin de trop réfléchir pour imaginer combien il peut être périlleux de passer d'une phase à l'autre…

Toutefois, cela peut arriver si le directeur est faible, ou tout simplement humain, juste (la teneur de la requête du prisonnier se révèle là importante) et que le détenu demeure ferme, le directeur accédera à la demande soit pour éviter tout débordement, soit parce qu'il estime la requête recevable.

Que faire lorsque le directeur lui-même (cela s'est déjà produit) en donnant raison au prisonnier ne respecte pas les règlements établis par l'administration pénitentiaire ? Car il se peut très bien que le surveillant ait, lui, respecté avec scrupule le règlement intérieur de l'établissement, celui-là même rédigé par la direction, mais que ce surveillant tout comme le règlement soient désavoués.

Eh bien ! Une sorte de malaise s'installe.

Le surveillant se sent humilié tandis que le détenu, grisé par sa « victoire » a l'impression d'avoir conquis une parcelle de pouvoir et d'avoir fait plier ce petit-maître, détenteur désormais aléatoire du « oui » et du « non ». Il ne s'agira cependant là que d'une victoire à la Pyrrhus, un succès à la petite semaine. Le porte-clefs, bafoué par sa hiérarchie, sentira augmenter sa frustration au fil des mois et des années et attendra le prisonnier au tournant. Si ce n'est lui, d'autres paieront… Et en certaines occasions le corporatisme peut être vivace et proliférer tel chiendent melliflue. Les matons alors font leur loi, et pour que les détenus abdiquent toute velléité de se plaindre, instaurent le règne de la terreur. Tours d'écrous, tours de vices.

Au bout du compte, de toutes les manières, c'est le détenu qui écopera.

Aucun surveillant ne peut travailler s'il se sent placé en situation d'infériorité par rapport au détenu, cela quel que soit le contexte. Afin de rétablir l'équilibre et parce que, de fait, le pouvoir presque toujours est de son côté, ce maton usera de toutes les feintes et perversions pour soumettre le taulard, avec la bénédiction de sa hiérarchie. Seul leitmotiv, seul mot d'ordre : pas de vagues, pas d'incidents, pas de casse, ou le moins possible. C'est fou, comme au royaume de l'enfermement, surdité et cécité peuvent subitement proliférer comme les plus endémiques des épidémies !

C'est pour cela qu'en prison (que ne l'ai-je répété à Julian !) rien n'est tout à fait clair. L'obscur y prolifère. Tous les coups y sont permis, mais rien ne doit se voir, se savoir, se dire. Le silence y est d'or.

Les débordements y sont très mal vécus par la direction, qu'ils proviennent des détenus ou des surveillants. La violence psychologique est donc l'arme quotidienne de prédilection de certains matons qui ne font pas souvent preuve de beaucoup plus de scrupules que les personnes qu'ils sont censés surveiller et non torturer.

Et pourquoi ne pas l'écrire maintenant – on nous fera sans doute crédit de ne pas croire qu'il s'agisse là d'un cheveu sur la soupe, oh non ! : la version officielle veut que l'on n'ait jamais surpris de surveillants en train de « dormir » dans une cellule avec des prisonniers, ou sous la douche en train de bénéficier de leurs faveurs[1]. Qu'en est-il de la version officieuse, celle colportée régulièrement par radio prison, celle que nous connaissons tous, soigneusement tue officiellement ?

C'est cela la vie en détention. Une chaîne d'humiliations et de frustrations qui s'additionnent au jour le jour, vous changent un

1. Comment ? Par les seules vertus de leur charme ténébreux, de leur charisme ? Gratuitement ? À l'insu de leur plein gré ?

homme, lui raptent cœur et cervelle et provoquent chez les uns et les autres une tension d'une violence extrême.

Disons que la prison est parfois un miroir où prisonniers et surveillants se mirent en chiens de faïence, prêts à répondre au lancinant appel à la curée qui les anime.

Dans l'inconscient de chaque surveillant gît le douloureux sentiment du laissé-pour-compte, de celui qui nettoie les écuries d'Augias de la société, de celui qui exerce la fonction de garde-chiourme social dont personne ne veut.

X/Le chemin de croix de l'élève surveillant

Un nombre important de jeunes apprentis surveillants font leurs classes, à un moment ou à un autre, dans la maison d'arrêt de Fresnes. Une discipline de fer y est appliquée. Élèves et stagiaires sont supposés y être formés dans les règles de l'art, mais là encore, il y a loin de la théorie à la pratique.

L'élève, pour cet apprentissage sur le terrain, est pris en charge par le service formation. Il est censé disposer d'un tuteur, mais il s'agit le plus souvent d'un premier surveillant.

Les premiers surveillants eux-mêmes n'ont souvent pas été formés ainsi qu'il l'aurait fallu, et comme en réalité le personnel vient toujours à manquer, l'élève remplace tel ou tel surveillant absent alors qu'il devrait travailler en doublon avec un surveillant.

En fait, d'une manière générale, les directeurs des gros établissements de la région parisienne font appel à des élèves non pour les former mais pour les faire travailler à la place des surveillants absents ou dont ils ne disposent pas.

Ces élèves se retrouvent donc livrés à eux-mêmes et réagissent de manière désordonnée voire anarchique, pour le moins inappropriée le plus souvent. Cela se traduit quelquefois par un excès de compassion envers le détenu, ou par un rejet immédiat occasionné par une peur inconsciente.

L'élève après s'être vu dispenser cette formation idéale accède durant un an au statut de stagiaire.

Il est alors affecté dans un autre établissement pénitentiaire pour toute la durée de son stage. Là, à temps plein, il occupera la fonction de surveillant. Les provinciaux se heurtent à une difficulté majeure à Paris et en Île-de-France, celle de se loger convenablement, non loin si possible de leur lieu de travail. L'accompagnement social en la matière est des plus chiches pour ne pas dire inexistant.

Seuls les directeurs, chefs de détention et certains gradés ou responsables administratifs ou techniques… disposent d'un appartement de fonction, souvent d'ailleurs à l'intérieur de l'établissement – on peut trouver plus original en matière de vie privée –, mais ils ne paient pas de loyers. Certains chanceux touchent même des voitures de fonction !

Il ne faudrait tout de même pas noircir par trop le tableau. Le mode de recrutement a bien changé en trente ans, heureusement.

Avant, « en temps longtemps » (explicite expression antillaise), tout comme celles des bourreaux, c'étaient des familles de matons qui donnaient à la pénitentiaire leurs fils, leurs cousins ou leurs neveux. Il y avait aussi les bons amis qui passaient le mot dès qu'un concours était ouvert pour que les petits copains s'y inscrivent.

Aujourd'hui, avec le chômage, le niveau de recrutement est nettement à la hausse et le copinage tend à disparaître.

Seulement, à écouter ces messieurs, les beaux sires de conseillers techniques du ministère de la Justice, il faudrait que les surveillants aient la faculté de se muer en assistantes sociales *bis* ou en psychologues capables de passer des heures dans les cellules ou en parloir à écouter les détenus leur livrer leurs secrets les plus personnels.

Assurer la sécurité d'un établissement pénitentiaire sans pouvoir éviter parfois des confrontations très dures avec les prisonniers est une chose, se transformer ensuite deux heures durant, d'un coup d'un seul, en un père affectueux et attentif, ou en un thérapeute de l'intime en est une autre. Un surveillant c'est avant tout pour le prisonnier un porte-clefs qui ouvre et qui ferme les portes de la liberté. Il faut avoir vécu ce que c'est pour en parler. En avoir une expérience accrue éviterait à certains de sortir de leurs chapeaux des mesures démagogiques et inconsistantes. Faire appel à des professionnels éviterait aussi bien des fourvoiements.

Ces messieurs du ministère, beaux conseillers en dégoiseries, voudraient emballer un gros tas de merde avec un magnifique paquet cadeau qu'ils feraient déposer le plus loin possible d'eux de surcroît afin de n'en pas subir, malgré tout, les éventuels néfastes effluves, qu'ils ne s'y prendraient pas autrement !

Ce ne sont certainement pas les surveillants qu'il faut surdiplômer, mais la structure même du fonctionnement de l'administration pénitentiaire et donc de la prison qu'il faut faire voler en éclats.

Surveillants et prisonniers ont beaucoup en commun, notamment certaines frustrations qu'ils vivent au quotidien. Ils se détestent, parfois se haïssent et finissent aussi par se ressembler...

* *
*

SURVIVRE

Désertée, la bibliothèque maintenant vide en paraissait presque triste. Julian devait fermer et François rejoindre ses pénates du centre multimédia. Ce jour-là, leur conversation s'était exceptionnellement prolongée.

Julian se la remémorait en remontant les deux étages qui le séparaient de sa couche, et même après avoir fait un signe au surveillant pour qu'il lui ouvre la porte avant qu'il ne s'engouffre dans sa carrée.

Il n'avait plus du tout envie de s'apitoyer sur le sort de François et de ses collègues. Lui, la prison, avec son cortège d'humiliations, il la subissait de plein fouet et il n'était même pas payé pour cela. Alors les états d'âme des matons lui paraissaient d'un luxe ! Qu'ils se les carrent après tout !

Tout de même, il n'avait pas perdu son temps, songea-t-il avant de s'endormir. C'était, mon Dieu ! *intéressant* de connaître le point de vue d'un homme d'expérience sur l'organisation de ce Moloch d'administration, à la fois tellement hiérarchisée et tellement opaque, dont son existence dépendait désormais. Survivre demande un peu d'effort, non ?

II – L'ENFERMEMENT
(Le quotidien de l'exécution des peines)

II – L'ENFERMEMENT

Le quotidien de l'exécution des peines

Chapitre VI

La vie en détention

I/Les populations de détenus[1]

a/Les détenus en établissements

Au 1er juillet 1999, 57 844 personnes se trouvaient en détention en France (métropole et outre-mer). Une population qui comptait 20 143 prévenus et 37 701 condamnés, dont 2 208 femmes détenues (3,8 %).

Elles n'étaient plus que 47 837 au 1er janvier 2001 (métropole et outre-mer) dont : 16 107 prévenus et 31 730 condamnés parmi lesquels 1 738 femmes détenues (3,6 %).

Le taux de détention[2] pour la seule métropole, était, au 1er janvier 1999, de 84,2 détenus pour 100 000 habitants. Il était de 50 pour 100 000 en 1975. Une augmentation très significative qui en dit long sur la surpopulation carcérale, même si au 1er janvier 2001, ce taux de détention en métropole seule était redescendu à 75,6 détenus pour 100 000 habitants. Autre élément de comparaison, ce taux était de 90,4 pour 100 000 habitants au 1er janvier 1996.

1. Source : ministère de la Justice : Les chiffres clés de l'administration pénitentiaire.
2. Taux de détention : rapport entre le nombre de détenus et le nombre d'habitants dans un pays et à une date donnés.

Quant **à la durée moyenne de détention**[1] en métropole, elle était de 8,3 mois pour l'année 1998 et de 8,5 mois pour l'année 2000. Une durée en augmentation très sensible par rapport à l'année 1975 où elle était de 4,3 mois.

La répartition par âge à suivre donne un aperçu plus synthétique de la situation **au 1er juillet 1999** en métropole et outre-mer.

Parmi les 57 844 détenus évoqués plus haut :

– 1,7 % avaient moins de 18 ans ;

– 8,7 % avaient de 18 à 21 ans ;

– 15,9 % avaient de 21 à 25 ans ;

– 18,9 % avaient de 25 à 30 ans ;

– 28,2 % avaient de 30 à 40 ans ;

– 26,6 % avaient plus de 40 ans.

Au 1er juillet 1999, 77,7 % de ces détenus étaient de nationalité française, 22,3 % de nationalités étrangères.

La répartition par âge au 1er janvier 2001 avait peu évolué en métropole et outre-mer.

Parmi les 47 837 habitants :

– 1,3 % avaient moins de 18 ans ;

– 8,2 % avaient de 18 à 21 ans ;

– 15,2 % avaient de 21 à 25 ans ;

– 18,1 % avaient de 25 à 30 ans ;

– 27,7 % avaient de 30 à 40 ans ;

– 17,9 % avaient de 40 à 50 ans ;

– 8,3 % avaient de 50 à 60 ans ;

– 3,4 % avaient 60 ans et plus.

Au 1er janvier 2001, 78,6 % de ces détenus étaient de nationalité française (une proportion en augmentation), et 21,4 % de nationalités étrangères.

Précisions

• De janvier 1990 à juillet 1999, le nombre total de détenus avait augmenté de près de 18 000.

---

1. Durée moyenne de détention : rapport entre le nombre moyen de détenus présents et le nombre d'incarcérations sur une année donnée.

. **La durée moyenne de détention provisoire** de ces détenus était de 4,5 mois pour l'année 1998 en métropole, et de 4,0 mois pour l'année 2000 contre 2,4 mois en 1975.

. **Les répartitions** (à suivre) **selon la durée de la peine** des condamnés au 1er juillet 1999 (métropole et outre-mer), **ou selon la nature de la principale infraction** fournissent quelques éléments synthétiques de plus sur la situation de la population carcérale en France, qui ne cessait d'augmenter chaque année.

Parmi ces 57 844 détenus :

– 29,7 % avaient été condamnés à une peine inférieure à un an ;

– 21,0 % avaient été condamnés à une peine de un à trois ans ;

– 11,5 % avaient été condamnés à une peine de trois à cinq ans ;

– 37,8 % avaient été condamnés à une peine de plus de cinq ans (dont 566 réclusions criminelles à perpétuité, soit 1,7 % du total) ;

– 27,2 % avaient été condamnés pour vol simple et qualifié ;

– 20,2 % avaient été condamnés pour viol et autres agressions sexuelles sur mineur ou adulte, exhibitions sexuelles comptabilisées ;

– 14,3 % pour infraction à la législation sur les stupéfiants ;

– 9,8 % pour meurtre, assassinat, empoisonnement ;

– 8,8 % pour violences volontaires ;

– 4,8 % pour escroquerie, recel, faux et usage de faux ;

– 2,8 % pour infraction à la législation sur les étrangers ;

– 1,6 % pour homicide et atteinte involontaire à l'intégrité de la personne ;

– 10,4 % pour d'autres chefs d'inculpation.

Des répartitions qui ont sensiblement évoluées au 1er janvier 2001 (métropole et outre-mer).

Des 47 837 détenus au 1er janvier 2001 :

– 22,9 % l'avaient été pour vol simple et qualifié ;

– 25,0 % pour viols et autres agressions sexuelles ;

– 13,8 % pour infraction à la législation sur les stupéfiants ;

– 10,6 % pour meurtre, assassinat, empoisonnement ;

– 4,3 % pour escroquerie, recel, faux et usage de faux ;

– 2,5 % pour infraction à la législation sur les étrangers ;

– 2,3 % pour homicide et atteinte involontaire à l'intégrité de la personne ;

– 7,9 % pour d'autres faits.

De 1990 à 1999, le nombre de prévenus emprisonnés (20 143 en 1999), après une hausse sensible en 1995, est demeuré pratiquement stable. Celui des condamnés emprisonnés a lui nettement augmenté passant de un peu moins de 25 000, en 1990, à 37 701 au 1er juillet 1999. À noter une baisse sensible de 1999 à 2001, puisque le nombre de prévenus emprisonnés étaient au 1er janvier 2001 de 16 107, et celui des condamnés de 31 730 au 1er janvier 2001.

• Suicides, évasions et agressions. Ces incarcérations ne se déroulent pas sans accrocs, **c'est ainsi qu'au cours du premier semestre 1999, on a enregistré dans les prisons françaises 62 suicides, 7 évasions, et 150 agressions contre les personnels,** essentiellement des surveillants, dont 139 ayant eu pour conséquence des incapacités temporaires de travail. **Par comparaison, au cours du premier semestre 2000, ce sont 121 suicides, 25 évasions, et 324 agressions contre les personnels** qui ont perturbé le quotidien des établissements pénitentiaires.

b/Les détenus en milieu ouvert, hors les murs

L'appellation de « milieu ouvert » recouvre l'ensemble des activités des SPIP et associations de contrôle judiciaire qui participent à la mise en application des décisions de justice devant être exécutées partiellement ou totalement hors des établissements pénitentiaires. L'objectif de ces mesures est de favoriser une meilleure insertion des individus dans la société. Ces mesures sont parfois prises avant jugement (contrôle judiciaire), lors du jugement (sursis avec mise à l'épreuve), ou sont parfois une modalité d'exécution de la peine d'emprisonnement (semi-liberté).

Ils étaient 131 367 en 1999, puis 141 697 le 1er janvier 2001, à être coordonnés par les services pénitentiaires d'insertion et de probation (SPIP) avant leur jugement (suivi pré-sentenciel) ou après, au titre de l'exécution de leur peine.

L'intérêt des TIG... Au 1er janvier 2001, 157 201 mesures (143 746 en novembre 1999) étaient coordonnées par les SPIP dont :

– 119 764 de sursis avec mise à l'épreuve (109 349 en 1999) ;

– 25 411 de travaux d'intérêt général (TIG) (23 952 en 1999). Un travail d'intérêt général étant une peine alternative à l'incarcération, adoptée en 1983, qui requiert la volonté du condamné pour être exécutée. Ce travail est non rémunéré, sa durée peut aller de 40 à 240 heures, et il est toujours effectué au bénéfice d'une collectivité territoriale, d'une association, ou d'une administration (dans l'un des services d'un palais de justice, etc.). Ces TIG s'inscrivent de plus en plus dans le paysage judiciaire comme des alternatives fiables aux mesures habituelles d'incarcération. **Aujourd'hui, en cette année 2001, des expériences novatrices devraient être plus encore tentées en la matière, afin de mieux accorder la sanction à l'infraction commise en fonction de la personnalité du condamné. Les TIG routiers « sanctionnant » les infractions au Code de la route sont un bon exemple. Pourquoi ne pas imaginer des TIG très adaptés (durée et qualité optimisées) dans les secteurs où les infractions ont été commises ? Individualiser la sanction, personnaliser la peine, la rendre utile à l'intérêt général, aux victimes et aux accusés, tout en symbolisant sa fonction de réparation et de réflexion, les TIG peuvent y contribuer, y compris pour de graves délits ;**

– 5 013 libérations conditionnelles (90,6 % d'entre elles décidées par les JAP (juges d'application des peines) et 9,4 % par le garde des Sceaux) contre, en novembre 1999, 4 685 libérations conditionnelles (88,2 % d'entre elles décidées par les JAP et 11,8 % par le garde des Sceaux) ;

– 3 663 contrôles judiciaires à la demande des magistrats instructeurs (2 963 en 1999) ;

– 951 ajournements avec mise à l'épreuve, une mesure créée en 1989, encore peu explorée et exploitée (774 en 1999).

Précisions

. De plus, 43 109 interventions ont été menées à bien, en 2000 (50 847 en 1998) :

– 25 306 (29 287 en 1998) enquêtes conformes à l'article D. 49.1 qui donne la possibilité aux JAP de faire exécuter les peines d'emprisonnement inférieures à un an en semi-liberté, en libération conditionnelle ou en placement à l'extérieur ;

– 7 417 (9 194 en 1998) enquêtes urgentes à la demande des parquets ou des magistrats instructeurs ;

– 2 042 (2 706 en 1998) enquêtes pour l'instruction de projets de libération conditionnelle.

c/ Les mesures de réductions de peine

Suivant l'article 721 du Code de procédure pénale (CPP), les détenus qui *ont donné des preuves suffisantes de bonne conduite* peuvent se voir octroyer trois mois de réduction de peine par année d'incarcération, ou sept jours par mois de réduction pour une condamnation inférieure à un an. Ils peuvent avoir droit en sus à une réduction de peine de deux mois par année d'incarcération s'ils sont délinquants primaires, ou d'un mois supplémentaire s'ils sont récidivistes, après un an de détention et si, conformément à l'article 721.1 du Code de procédure pénale, *ils font preuve d'efforts sérieux de réadaptation sociale.*

• **Permissions de sorties.** D'autres mesures compensatoires particulières sont prises chaque année. Par exemple, en 1998 (en métropole et outre-mer), 35 993 permissions de sorties ont été délivrées dont :

– 29 584 pour maintien des liens familiaux ;

– 3 112 pour présentation à un employeur ;

– 913 en raison d'une présence requise à un examen médical ou psychologique ;

– 1 200 afin de pouvoir passer un examen scolaire ou professionnel ;

– 669 en raison de circonstances familiales graves ;

– 445 pour s'acquitter de formalités administratives.

Eh bien ! le taux de non-retour fut de 0,6 %.

En 2000, ce sont 35 674 permissions de sorties qui ont été délivrées dont :

– 28 108 pour maintien des liens familiaux ;

– 4 520 pour présentation à un employeur ;

– 734 en raison d'une présence requise à un examen médical ou psychologique ;

– 742 afin de pouvoir passer un examen scolaire ou professionnel ;

– 796 en raison de circonstances familiales graves ;

– 774 pour s'acquitter de formalités administratives.

Et le taux de non-retour fut de 0,8 %, soit 276 détenus.

Pendant les six premiers mois de l'année 1999, 17 433 permissions de sortir furent accordées. Le taux de non-retour fut là de 0,4 %.

• **Placements à l'extérieur.** En 2000, 3 339 (3 137 en 1998) décisions de placement de détenus à l'extérieur ont été arrêtées dont :

– 2 117 sans surveillance continue (1 960 en 1998) ;

– 1 222 avec surveillance continue (1 177 en 1998).

Ces décisions ont été prises pour permettre aux détenus de :

– suivre une formation rémunérée (734 décisions en 2000/731 décisions en 1998) ;

– suivre une activité non rémunérée (237 décisions en 2000/98 décisions en 1998) ;

– suivre des soins ou dans le cadre du RMI (88 décisions en 2000/57 décisions en 1998) ;

– d'exercer un travail (2 280 décisions en 2000/2 249 décisions en 1998).

Elles ont été prononcées :

– dès l'incarcération (art. D. 49.1 du CPP) : 359 décisions en 2000/442 décisions en 1998 ;

– en cours d'exécution de peine (art. D. 137 du CPP) : 2 980 décisions en 2000/2 695 décisions en 1998.

À noter tout de même que dans 43,2 % de ces cas (39,1 % en 1998), l'hébergement a eu lieu dans un établissement pénitentiaire.

Au cours de la première moitié de l'année 1999, ce sont 1 698 décisions de placement à l'extérieur qui ont été prononcées : 1 081 sans surveillance continue, 617 avec surveillance continue. Elles l'ont été dès l'incarcération : 313 décisions ; durant l'exécution de la peine : 1 385 décisions.

• **Semi-liberté.** Durant le premier semestre 1999 en métropole et outre-mer, 4 113 placements en semi-liberté ont été arrêtés, dont :

– 70,0 % dès l'incarcération (art. D. 49.1 du CPP) ;

– 31,7 % en cours d'exécution (art. D. 137 du CPP) ;

– 1,4 % ordonnés par le tribunal.

Alors qu'en 2000, en métropole ou outre-mer, ce sont 6 757 placements en semi-liberté qui ont été effectifs, dont :

– 59,5 % dès l'incarcération (art. D. 49.1 du CPP) ;
– 38,3 % en cours d'exécution (art. D. 137 du CPP) ;
– 2,2 % ordonnés par le tribunal.

• **Libération conditionnelle.** Sur l'ensemble des décisions prises d'admission à la libération conditionnelle au cours du premier semestre 1999, 2 637 le furent par les JAP, lorsque la durée totale de la détention ne dépassait pas les cinq années, à partir de l'incarcération, dont 271 infirmées par la suite, et 97 le furent par le garde des Sceaux, quand la durée de la détention dépassait cinq années, à partir de l'incarcération. Cinq de ces décisions furent infirmées ensuite par le garde des Sceaux.

En 2000 ces décisions d'admission à la libération conditionnelle furent prises par les JAP (5 361 pour une durée totale de la détention ne dépassant pas cinq années à partir de la date de l'incarcération) et par le garde des Sceaux (207 pour une durée totale de détention de plus de cinq ans, à partir de l'incarcération, dont 11 furent infirmées ensuite par le garde des Sceaux).

• **Réduction de peine.** Enfin, si pendant le premier semestre 1999, ce sont 39 704 cas de réductions de peine qui ont été passés au crible, dont 37 671 furent finalement accordées (soit un taux de 94,8 %), en 2000, 101 572 cas de réductions de peine ont été étudiés, et 93 572 accordées (soit un taux de 92,1 %).

Mais revenons aux sources. L'essentiel du quotidien du prévenu se passe en cellule. Une bien curieuse planète.

II/Le quotidien en cellule

Une cellule, c'est un endroit clos d'environ 9 m^2. Une petite lucarne perchée bien haut, avec des barreaux laissant passer très peu de lumière, en estompe l'austère dénuement avec parcimonie.

Une cellule, ce sont des lits superposés pourvus de matelas.

Une cellule, c'est un petit lavabo, du type de ceux que l'on trouve dans les toilettes de quelques appartements bourgeois, sans glace au-dessus[1]. Les prisonniers, estime-t-on sans doute, n'ont pas besoin de se voir vieillir. Ils acquièrent assez comme cela la mesure du temps qui passe. C'est plus de mutineries que vous voulez ? Ça va bien, oui !

Et c'est ainsi que jour après jour, le détenu a de moins en moins pied. La représentation qu'il se fait de lui-même se brouille. À n'être vu que par les autres, il finit par ne plus avoir beaucoup d'estime pour lui-même. Plus de repères, plus d'identité ! À force de ne pas voir son visage, il perd la mémoire de soi, ses racines. Une véritable torture, bien plus indélébile que tous les mitards du monde. Ces hommes et ces femmes emprisonnés sont ainsi privés d'un droit élémentaire, celui de se voir vieillir au quotidien. Un droit dont tout un chacun à l'extérieur use à volonté comme il respire…

Heureusement, depuis peu, une petite glace a été installée au centre de ressources multimédia par le personnel technique. Les détenus ne peuvent s'empêcher de s'y contempler fréquemment. Et ils se regardent, et ils se regardent ! Cela leur fait du bien. Tout comme ils apprécient le fait de pouvoir ouvrir la porte d'entrée du lieu. Une vraie porte qu'ils peuvent ouvrir et fermer comme dans la vraie vie à l'extérieur ! Ce geste banal prend pour eux des allures de symbole.

La cellule, c'est aussi une cuvette de chiottes sans lunette ni rabat pour contenir les odeurs. C'est un drap ou une couverture que l'on a pudiquement posée sur un fil tendu afin de disposer malgré tout d'un peu d'intimité en cet endroit ailleurs d'aisance.

Imaginez-vous faisant vos besoins (un peu de courage voyons !) en entendant vos compagnons de cellule parler de choses et d'autres comme s'ils campaient sur vos genoux. Imaginez-les vous menacer à travers la mince étoffe, s'il y en a une, à cause d'effluves qu'ils jugent malodorants. Imaginez-les encore s'esclaffer en vous avertissant qu'ils vont lever le voile afin de contempler dans toute sa splendeur la grosse loche pleine de bourrelets que vous êtes devenu, cet homme au sexe flasque et riquiqui, rigolent-ils, assis là en train de pousser, impuissant, afin d'expulser de ses entrailles la mal-bouffe digérée à la diable qu'on lui a fourguée au déjeuner…

1. A. Poissy, chaque lavabo est pourvu d'un miroir, ce qui n'est pas le cas dans tous les établissements.

Quelle honte aussi d'avoir eu à courir sus à la cuvette parce que vous avez dû ingurgiter pour cause de faim tenace un fichu hachis Parmentier aussi appétissant qu'un ragoût de briques, lequel après avoir fait du sur-place dans votre estomac a eu la désagréable idée de passer la surmultipliée et de filer droit à vos intestins ! Résultat, pris par une diarrhée carabinée et nauséabonde, vous ne pouvez plus rien retenir et le doux parfum, au grand courroux de vos compagnons de geôle, imprègne pour longtemps l'atmosphère déjà confinée.

La cellule, c'est cette chasse d'eau qui se trouve à l'extérieur et que l'on ne peut pas tirer. Cela afin d'éviter que des détenus se pendent [1]. Le geste auguste ne peut être accompli que par un surveillant. Il faut donc taper à la porte et demander à ce monsieur de bien vouloir officier. Outre le fait que les matons sont ainsi tenus au courant, heure par heure, de la bricole du transit intestinal de chaque détenu, la dépendance des prisonniers, même en matière de défécation, est totale. **Comment peut-on imaginer qu'un homme puisse se réinsérer dans la société s'il ne lui est même pas laissé loisir de gérer ses propres excréments ? Ce droit élémentaire lui est aussi retiré en prison. En ce début de XXIe siècle un peu de modernité technique *en la matière* est tout de même possible, non ?**

Si tu es détenu, oublie jusqu'au sens du mot « intimité » ! Il y a urgence, sinon tu vas devenir fou devrait être le premier conseil charitable à donner à tout nouveau locataire des 9 m^2 fatidiques, *car le maton te guette, te guette, et te guettera encore !* Le refrain de l'ami chanteur de rap est plus que jamais d'actualité [2].

La cellule, c'est une théorie de petit matériel que les détenus cantinent – cela leur est permis –, comme des résistances pour faire chauffer de l'eau.

Julian m'a raconté une fois, avec beaucoup de fierté, qu'il avait réussi à confectionner un réchaud artisanal avec une barquette en aluminium dans laquelle il avait mis un peu d'huile, implanté des mèches confectionnées avec des petits bouts de corde, et recouvert le

1. Certains établissements disposent de chasse d'eau intérieures.
2. « Le maton me guette », tiré de l'album *Tentation*, le titre de l'une des chansons de Passi…

tout d'une feuille de papier aluminium, ce qui lui avait permis chaque fois, après l'allumage des mèches, de pouvoir faire réchauffer sa nourriture et celle de ses codétenus.

Et je lui ai répondu, bravo pour la prouesse technique, mais malheur à lui en cas d'accident. Car il aurait suffi qu'une main maladroite vienne à renverser cette fragile barquette pour que la cellule tout entière prenne feu…

La cellule c'est aussi bien évidemment toute une série d'images d'Épinal, avec ses posters de femmes nues, côtoyant des dessins naïfs d'enfants afin de couvrir les murs dont la peinture et la substance tombent par plaques entières et qu'il ne faut surtout ni laver ni taquiner de trop près de peur de se retrouver rapidement chez les voisins.

La cellule c'est encore le bruit incessant d'une radio qui hurle ou d'une télévision louée soixante-dix francs par semaine, sans vous laisser le moindre répit, le moindre moment de silence ou de repos.

Enfin la cellule, c'est les codétenus quand on n'a pas la chance d'être seul et que l'on se retrouve à deux ou trois comme il est de coutume dans les maisons d'arrêt, dans 9 m^2 qui deviennent dès lors le champ de foire de l'enfer.

Un trou est planté à hauteur d'homme sur la porte de la cellule : l'œilleton. Maudit par les détenus, il permet aux matons de les surveiller avec plus d'efficacité. Le problème, c'est qu'ils ont ainsi l'impression de l'être tout le temps. Cet œilleton les rend fous et sans être paranoïaques, ils croient entendre se soulever de l'autre côté de la porte, le cliquetis de la pastille de métal au moindre petit bruit.

Cet œilleton peut être une arme de torture psychologique redoutable. Il suffit de visiter, la nuit par exemple, une cellule toutes les dix minutes. Quelques coups de pieds dans la porte, ou pas de coups de pieds du tout, si une certaine discrétion est recherchée, un maniement très peu discret de l'œilleton que l'on soulève exprès de la manière la plus audible possible en faisant plus ou moins durer l'examen et le tour est joué. Au bout de quelque temps, l'effet est garanti, le ou les détenus sont sous pression et pètent les plombs.

Ce grincement de l'œilleton, très caractéristique pour qui le subit, retentit d'autant plus douloureusement la nuit dans le crâne du détenu, qu'il est plus vulnérable en ces heures enténébrées. Une souffrance difficile à partager avec qui ne l'a pas vécue selon certains prisonniers.

Une petite mort au quotidien du poteau d'exécution des peines.

* *
*

LA LIBERTÉ CONFISQUÉE DE JULIAN

Julian ne s'habituait pas à la prison, qui le pourrait ? Mais il avait trouvé chez François un peu de compréhension. Leurs conversations l'aidaient à tenir le coup et à donner un sens à son existence carcérale.

Ils s'installaient à la bibliothèque toujours à la même place, si bien que les autres détenus s'étaient finalement habitués. Quelques-uns, avait-on rapporté à Julian, allaient jusqu'à leur supposer une relation intime.

« Dans ces putains de cellules confia un jour d'orage Julian à François, le plus insupportable, c'est la promiscuité. Tu es obligé de tout subir des autres : leurs humeurs, leurs odeurs, leurs détresses, leurs espoirs, leurs rêves, leurs maladies et parfois leur mort.

« Comme tu le sais, ici le matin, le réveil est à 7 heures, au moment où l'équipe de jour prend son service, un peu comme les infirmières à l'hôpital.

« Tu passes là brutalement de l'ombre à la lumière, puisque à partir de 20 heures, c'est le couvre-feu, toutes les cellules sont plongées dans l'obscurité. Ça me met les nerfs en pelote ! [1]

« En plus, on entend venir, du bout de la coursive, un lourd chariot planté sur de grosses roulettes en caoutchouc qui gémissent à chaque impulsion de l'"auxi" qui dirige l'engin. À ce bruit s'ajoute bientôt celui de la clé qui tourne dans la serrure de la cellule et le maton se met à gueuler pour réveiller ceux qui dorment encore.

« Mes nuits sont souvent courtes. Il arrive que tu en passes une sans vraiment trouver le sommeil. L'un de tes compagnons d'infortune

---

1. Enfin, aujourd'hui, ce couvre-feu n'est plus appliqué !

ronfle, l'autre pleure et gémit dans son sommeil, des pleurs si lancinants que tu n'as pas envie, là, de t'interroger plus avant sur la nature de ses rêves. Et toi, au milieu de tout ça, yeux grands ouverts, tu gamberges !

« Je dors si mal qu'au bout de trois jours de nuit sans sommeil, au début, j'ai demandé la "fiole". »

Ah , ça ! la fiole, moi, François, je connaissais. Depuis des lustres, je vois arriver chaque matin au centre multimédia des types hagards, défoncés par un surdosage de calmants. La fiole est devenue leur plus fidèle compagne, l'amante de leur nuit, la copine de jeux de leurs ébats nocturnes. À un point tel qu'ils en rêvent le jour !

Se réveiller et être un peu opérationnel prend souvent ensuite toute la matinée aux gars. Je sais que cela fait partie d'une pratique pénitentiaire largement répandue d'un établissement à l'autre. Droguer les prisonniers, cela évite les incidents et les agressions contre les matons ou entre détenus. Les prisonniers n'ayant pas droit aux médicaments sous forme de comprimés – pour éviter qu'ils ne les stockent et ne s'en servent pour se suicider – un infirmier passe tous les soirs avec les doses prescrites par les médecins dans une petite fiole…

Précision : les prisonniers sont tenus ensuite de boire le breuvage devant le surveillant et de tout avaler d'un coup. La confiance règne ! Mais revenons aux confidences que me faisait Julian ce jour-là et à son point de vue sur la vie derrière les barreaux.

« Ma journée type en prison est une journée de merde, une journée perdue. Hier, comme tous les matins donc, le chariot grinçant s'est arrêté devant notre cellule. Après le foutu bruit de clé dans la serrure, la porte s'est ouverte et j'ai tendu tour à tour nos bols à l'"auxi" afin qu'il puisse y verser ce qui nous tient lieu ici de café, c'est-à-dire un jus de chaussette imbuvable, que l'on nous octroie avec en prime un pain par personne.

« Momo, celui qui dort en haut, ne se réveille jamais si tôt malgré tout le battage ambiant et, hier, il n'a pas dérogé à la règle. Normal, le soir, il regarde la télévision jusqu'à épuisement.

« Moi, je ne touche pas au café, jamais. Je ne suis pas le seul à ne pas en boire. Je me fais réchauffer de l'eau dans un verre à l'aide d'une résistance que j'ai la chance de pouvoir cantiner pour deux cents francs. J'y verse deux cuillerées à café de Ricoré, cela me réchauffe un peu.

« On a très froid en cellule. Dans la nôtre, il fait rarement plus de seize degrés. Le chauffage s'y résume à un gros tuyau venu de la cellule voisine, qui court le long du mur et traverse ainsi la prison d'un bout à l'autre. C'est vrai que vivre à plusieurs dans un si petit espace devrait réchauffer l'atmosphère, mais le fait est que nous avons froid, froid et froid. »

En écoutant Julian je ne pouvais que lui donner raison. On a toujours froid en prison, dans celles que je connais tout du moins et dans celle-ci en particulier. Du mois d'octobre au mois de juin un gros pull, souvent à col roulé, ne me quitte pas. Cette carence de chauffage est l'une des causes de l'absentéisme important du personnel pour raison de maladie. À économie, économie et demie.

« Momo ensuite est enfin sorti de son sommeil de brute. Avec sa gueule d'ancien boxeur mi-mouche, ce petit dealer de banlieue ressemble à une crevette survitaminée, vous ne trouvez pas ? Chaque jour, une fois descendu de son perchoir, il ne dit pas un mot. Il ne faut pas lui parler le matin, ça l'embrouille pour le reste de la journée.

« L'expérience m'a montré qu'il valait mieux le laisser se livrer à son drôle de manège. Il écoute à la porte de la cellule, l'oreille collée à l'œilleton, se retourne et nous observe tous les jours de la même façon, avec son regard de mauvais garçon, fait deux ou trois fois le tour de la cellule, les mains dans le dos, puis, il s'arrête brusquement et scrute avec intensité le lit du bas.

« Il se penche, se met à plat ventre, rampe sous le lit, y demeure une trentaine de secondes, s'y contorsionne dans tous les sens et se relève avec dans la main un téléphone portable.

« Il remonte alors précipitamment vers sa couchette, s'y installe et se met à téléphoner. D'abord à sa famille, puis à d'autres correspondants afin de régler ses mystérieuses affaires.

« Hier, comme d'autres fois, il a appelé ses "associés" pour envisager avec eux de nouvelles transactions de "came". "Ce n'est pas parce que l'on est enfermé, qu'il faut arrêter de travailler quand même !" avait-t-il lancé devant mon air de surprise la première fois.

« Je crois que la chose la plus importante que j'ai découverte, c'est qu'en prison, le maître mot, c'est l'argent. Plus que dehors, ici, l'argent est synonyme de pouvoir. J'ai de la chance d'une certaine manière, j'en dispose. Mais un certain nombre de détenus n'en ont pas, et ils dégustent salement. »

Trente ans de pénitentiaire m'ont appris cela depuis longtemps. En prison, tout s'achète et tout se vend, des deux côtés de la barrière. L'actualité en témoigne chaque année. Il suffit d'y mettre le prix. Julian en faisait l'expérience. Un détenu démuni est un détenu en danger. Parfois de mort… L'argent circule, l'argent ouvre les portes, délie les langues, ferme les yeux, rend amnésique, permet l'interdit, l'impossible, l'impensable, la concussion, le chantage, le meurtre, l'abus de pouvoir, etc.

« Momo s'était mis d'accord avec un maton pour obtenir ce téléphone. Sa femme avait donné rendez-vous au surveillant peu scrupuleux dans un café place Clichy et lui avait remis l'objet et une enveloppe contenant la somme de dix mille francs. Pour une batterie neuve et des cartes SFR, ils avaient procédé de la même façon moyennant la somme de trois mille francs. »

C'est vrai, quelques surveillants, mais ils ne sont pas les plus nombreux, arrondissent ainsi leurs fins de mois. Des intervenants extérieurs « magouillent » aussi avec les détenus.

Jusqu'il y a quatre ou cinq ans, peu de surveillants trafiquaient avec les détenus. C'était assez exceptionnel. Le plus souvent même, ces malversations étaient le fait de gradés et non de surveillants de base.

Simplement parce que les surveillants n'ignoraient rien des risques encourus. Ils savaient qu'ils perdraient tout, s'ils se faisaient prendre. Les gradés, jouissant de leur statut, couraient moins de risques.

Depuis quatre ou cinq années, il est plus facile pour les uns et les autres de se livrer à des trafics et à des magouilles, à cause de l'arrivée de jeunes surveillants issus des cités de banlieues qui retrouvent dans les grandes maisons d'arrêt de la région parisienne des détenus qui leur vendaient du shit dans leurs cités ou dans les facs (celles de Nanterre ou de Saint-Denis par exemple en Île-de-France). Une sorte de copinage s'installe entre ces jeunes surveillants et les détenus. Le même phénomène est observable dans les autres régions françaises.

Autre changement, ces nouvelles recrues sortent plus souvent la nuit que celles d'avant. Ils fréquentent les discothèques, les bars, les clubs d'échangistes, les salles de sport, et là rencontrent tout le gratin des futurs ou ex-détenus.

Ils sont plus faciles à corrompre que leurs aînés.

La multiplication des activités pouvant être entreprises par les détenus se révèle aussi un terrain propice, ainsi que les contacts avec des intervenants bénévoles.

Cette nouvelle génération de surveillants souvent jeunes, même très jeunes, n'est pas assez préparée sur le plan psychologique pour affronter des détenus rompus à ce genre de trafic.

Un surveillant qui trafique, c'est un homme dont la mentalité le conduit de toute façon à tricher dans sa vie de tous les jours. Il le fait hors les murs aussi. Ils sont peu nombreux, ces dévoyés, mais ils pourrissent tout.

Pour dealer avec un détenu, il faut avoir forgé des rapports privilégiés avec lui. Et ce rapport singulier peut avoir été noué, ou entretenu à l'extérieur avec la femme du détenu, la famille du détenu, etc.

Les gros truands s'arrangent toujours pour passer à travers les gouttes. Lorsque l'on trouve des téléphones portables dans les cellules, ce sont toujours les hommes de main qui se font pincer. Les gros sont toujours protégés dans ce trafic. La plupart du temps, c'est l'homme de paille qui trinque et qui se retrouve au mitard, et comme l'administration ne pousse jamais, ne va pas plus loin dans ses enquêtes…

À partir du moment où elle dispose d'un coupable – souvent volontaire – elle s'estime satisfaite et le directeur de l'établissement éprouve le sentiment du devoir accompli.

Souvent les détenus se servent de leur portable interdit pour gérer leurs petites affaires de cul, de cœur, à l'extérieur. Arrêtons de fantasmer, les gros truands, eux, n'ont pas besoin de portables pour continuer, de la prison, à s'occuper de leurs business. Ces professionnels du délit sont, la plupart du temps, des détenus modèles que l'administration loue à longueur de détention.

Potentiellement, tous les détenus sont dangereux.

Le nier serait mentir. Un certain nombre d'exemples défraient d'ailleurs chaque année la chronique de l'actualité judiciaire.

S'il veut avoir une chance d'être mieux nourri, le prisonnier doit cantiner pour améliorer l'ordinaire et Julian en faisait l'incontournable expérience. La famille doit se débrouiller pour envoyer de l'argent chaque mois à son détenu. Lui faire remettre des liquidités de la main à la main par l'intermédiaire d'un membre de sa famille, des visiteurs, ou d'un avocat étant impossible, ses proches ont l'impérieux devoir de faire usage de mandats cash, les mandats télégraphiques étant interdits.

Tout s'achète en prison. On doit tout acheter. C'est pour cela que Julian, chaque semaine, passe commande de dentifrice, de savons, de brosse à dents, de chocolat, de Ricoré, de pâtes avec la sauce qui va avec, etc.

La prison est un véritable supermarché. Toutes les magouilles, toutes les embrouilles y sont possibles, il suffit d'y mettre le prix. Tout s'y achète et tout s'y vend. Il n'est pas rare que soient commercialisées au prix fort, dans certains centres de détention, des denrées alimentaires prévues pour les ONG et provenant de stocks de la CEE.

Ce sont des stocks gratuits mais sur lesquels des matons peu scrupuleux réalisent des bénéfices substantiels.

La cote du kilo de pommes de terre (vendues deux fois plus cher en moyenne qu'en hypermarché) dispute celle du tube de dentifrice (quatre fois plus élevée que dans le commerce).

Il faut donc disposer de fonds en prison pour survivre.

« Richard, mon autre compagnon de cellule, n'a pas d'argent. Personne ou presque ne peut le secourir de l'extérieur, du moins pas régulièrement. Il ne peut de la sorte rien s'offrir. Qu'à cela ne tienne, il est aidé, nous l'aidons. Seulement en échange, il s'occupe de tout dans la cellule. C'est Momo qui a institué le système. Richard assure le ménage, de fond en comble, une fois par jour. Il passe la serpillière, fait les lits au carré et nettoie la cuvette des chiottes.

« Il se lève tôt le matin, s'emploie à passer les gamelles pour le petit déjeuner et prend soin de nous, ses codétenus, à l'instar de la plus perspicace des femmes de ménage. La vaisselle est aussi son domaine réservé.

« En échange de ces “services”, cet asservi se voit parfois offrir quelques denrées et surtout, privilège des privilèges, il obtient le droit de profiter de la télévision. En outre, Momo lui abandonne quelques cigarettes contre des tours de douches supplémentaires. »

Eh bien ! Moi, je dis que ce que vivait ce Richard à l'époque où Julian m'en faisait part peut être tout simplement désigné sous le vocable d'esclavage. Richard, comme tant d'autres détenus, est un esclave. Notre système pénitentiaire génère des esclaves qui ne disent pas leur nom et sur la condition desquels l'administration préfère fermer les yeux et ne rien entendre. Pas de vagues, pas de bruit, tant que la machine à tuer ne provoque pas de scandales. Pas vu, pas pris. La petite mort quotidienne en ces lieux est la bienvenue pourvu qu'elle serve à assurer la pérennité du Moloch.

Ce système délétère qui produit de l'esclavage en ne faisant qu'une bouchée des plus pauvres qu'il réduirait sans cela à un dénuement plus extrême encore, s'autorégénère au carburant de la vénalité et de la corruption. La maison d'arrêt de la Santé, qui le 12 novembre 2001 comptait 1 107 prisonniers, offre un bel exemple d'inégalité sociale criante avec son célèbre quartier des VIP, souvent très bien approvisionné en produits comestibles, lequel occupe l'une des divisions de la prison, là où sont détenus des « clients » d'un type nouveau : celui d'hommes politiques influents ou de riches industriels.

Ceux qui vous diront qu'ils ont vu, stationnant dans la cour afin de livrer aux médiatiques hôtes des lieux de succulentes denrées alimentaires, des véhicules (camions) de chez Flo ou de chez Hédiard, vous mentiront. Mais nul ne peut les empêcher d'être approvisionnés par ces célèbres traiteurs, notamment pour leur colis de Noël, ou même à d'autres périodes de l'année.

Invraisemblable, mais vrai.

Comment dans ces conditions, celles que nous venons d'évoquer, demander à un détenu de respecter l'administration si elle est aussi corrompue que les prisonniers eux-mêmes ? Difficile.

Je ne parviens pas à m'habituer, je ne le pourrai jamais, même après trente ans de pénitentiaire, à ces méthodes dignes de la plus obscure des républiques bananières.

Un peu de bon sens, un toilettage de certains articles de lois suffirait pourtant à éviter certains écueils.

Prenons un exemple : celui de la promenade du matin.

Après la promenade du matin qui dure une heure et demie et au cours de laquelle toutes les tractations, les règlements de compte vont bon train, les détenus retournent en cellule.

Les promenades sont obligatoires. Elles sont prévues par le Code de procédure pénale.

L'article D. 361 indique que tout détenu doit effectuer chaque jour une promenade à l'air libre, sur cour ou sous un préau, sauf s'il en a été dispensé sur demande du médecin.

Une heure, une heure et demie de promenade, cela passe vite en été. Et déjà il faut rentrer. Imaginez l'état dans lequel se retrouvent les détenus lorsque le mercure monte à trente-cinq degrés et plus. Entassés les uns sur les autres, suffoquant à cause des odeurs nauséabondes, des suées inhérentes à ces fortes chaleurs, les nerfs à fleur de peau, les détenus ont vite fait de transformer l'établissement pénitentiaire en véritable pétaudière.

Pour quelles raisons croyez-vous que les mouvements de révolte des détenus éclatent en été ?

Le règlement – il date de 1975 –, sur ce point, mérite donc d'être changé.

Autre exemple d'atteinte aux libertés les plus élémentaires du prisonnier : celui du courrier.

Un sujet maintes fois débattu avec Julian à la bibliothèque, pendant me disait-il, que Richard s'évertue à faire et refaire le ménage de la cellule, tandis que Momo téléphone à tout va grâce à son portable.

Chacun d'entre eux pourtant attend avec une certaine impatience le courrier, une lettre à lui adressée, synonyme d'un peu de la liberté du dehors, d'air frais, de vie quoi !

Et Julian de m'asséner, à chaque fois, que le traitement du courrier par le personnel pénitentiaire représente ni plus ni moins qu'un déni flagrant de justice, le viol de l'intimité des détenus, une pratique barbare, cruelle, de plus.

Au cours de l'année 2001, M. Badinter eut la désagréable surprise de se voir retourner par le service de la censure du courrier de la maison d'arrêt de Paris-la Santé une lettre qu'il avait adressée à M. Jean-Christophe Mitterrand lors de son incarcération. Motif invoqué : cette lettre n'aurait pas été soigneusement libellée (mauvaise indication du numéro d'écrou ou de cellule). Un retour dû à un employé (trop) zélé. L'un des surveillants de ce service de censure n'était d'ailleurs pas quelqu'un de recommandable. Il n'hésitait pas entre autres vilenies, à intervertir volontairement des lettres dans le

« courrier départ ». C'est ainsi qu'il envoyait, par exemple, à certaines maîtresses de détenus des lettres que ces derniers destinaient à leurs femmes et *vice-versa*. Toujours est-il qu'à la suite de l'intervention de M. Badinter, qui n'hésita pas à monter au créneau, les trois surveillants de ce service furent relevés de leur fonction.

Mais, pour un Jean-Christophe Mitterrand, un homme dont les relations comptent, combien d'autres détenus ont-ils été victimes de ce genre d'odieux traitement, en toute impunité ? Des détenus qui malheureusement n'avaient pas la chance d'être riches et puissants, de porter un nom illustre, d'avoir pour ami un ancien garde des Sceaux, quels que soient l'estime, le respect, voire la gratitude et l'admiration qu'inspire ce dernier, l'homme qui a fait abolir la peine de mort en France.

L'inacceptable en la matière pour Julian n'était pas tant toutes ces lettres qui ne parvenaient pas, en signe de brimade, à leurs destinataires détenus : ceux jugés non à la hauteur des espérances du maton d'étage ; mais, le procédé le plus castrateur mis en place par l'administration, un déni en sus : celui de la confidentialité[1].

En prison, la confidentialité n'existe pas. Ce droit élémentaire vous est ôté. N'étant plus un homme libre, vous en assumez les conséquences dont celle-ci n'est pas la moindre. Tous les courriers destinés aux détenus ou émanant des détenus et devant être envoyés à l'extérieur sont lus et inspectés par des surveillants chargés de repérer des messages codés ou autres facteurs suspects.

Julian, à l'instar de tout détenu, ne supportait pas de recevoir une lettre décachetée, ou, au mieux refermée à l'aide d'un morceau de Scotch.

Dans ce cas, le détenu hésite et se dit que tout signe de faiblesse de sa part sera interprété et se retournera un jour contre lui. Face à la censure dont il estime être l'objet, puisque ses propos censurés lui sont quelquefois rapportés, reprochés, et déterminent l'attitude de l'administration à son endroit, il n'écrit pas, n'écrit plus. Garde pour lui son désespoir, ses joies aussi. Se referme sur lui-même. Ses liens avec l'extérieur se distendent. Son envie de se réinsérer diminue.

1. Aujourd'hui, hélas, le système ne s'est pas amendé à ce sujet.

L'administration en arrive ainsi à l'inverse de l'effet recherché et contribue de la sorte à la faillite de l'une de ses missions.

Sous prétexte de sécurité, j'ai la certitude que mes collègues et nos hiérarques des ministères et de l'administration ne mesurent pas la souffrance qu'ils infligent à la grande majorité de ces hommes et de ces femmes coupés du monde, dont une infime partie seulement est animée de mauvaises intentions dans sa correspondance. Je ne nie pas l'existence de cette infime partie, mais là encore, il me semble que la procédure, le règlement doivent être revus et réaménagés avec humanité.

« Imagine François, me disait Julian, que ta femme détenue à la maison d'arrêt de Fleury-Mérogis écrive à sa petite fille de dix ans. Penses-tu qu'elle le fera avec naturel, comme une maman le ferait, si elle sait que sa lettre sera ouverte, lue ; qu'un regard étranger, réprobateur, un regard ricanant, qui juge et qui dénigre, s'immisce dans sa relation avec son enfant ? »

Bien sûr, elle est responsable de ses actes. Bien sûr, si elle se trouve derrière les barreaux, c'est qu'elle l'a sûrement bien cherché. Mais, qu'est-ce que cela change ? L'administration pénitentiaire doit-elle pour cela se montrer inhumaine ? Justice n'est pas haine. La loi du talion n'a rien à voir avec le droit à la réparation de l'offense. Dénier ce droit aux détenus c'est passer de l'autre côté du miroir, se mettre volontairement dans le rouge, être aussi, à visage découvert, l'un des artisans du mal.

La confidentialité, l'intimité, le détenu est censé laisser tout cela derrière lui, au seuil de la prison. Ravalé au rang de bête, il ne s'appartient plus. Il n'est plus une personne. Sa dignité confisquée elle aussi, il doit purger sa peine à même la gamelle immonde des petites et grandes humiliations quotidiennes. Il s'agit de surveiller et de punir que diable ! Punir de façon indélébile de préférence ! Et en même temps, on lui demande de réfléchir sur la portée des actes qui l'ont amené à se retrouver derrière les barreaux, sur le sens de sa peine ; on attend de lui qu'il fasse amende honorable, retrouve honneur et dignité, qu'il se reconstruise en tant que personne, et blablabla et blablabla…

La vérité est que la France est l'un des derniers pays d'Europe où les détenus en maison d'arrêt n'ont pas le droit de téléphoner.

Cela amène à des dérives telles que celles que nous sert l'actualité tous les ans.

Pourquoi tant de restrictions et de volonté d'avilir ?

J'exagère, pensez-vous. Si vous aviez raison, ce serait le moindre mal. Cela voudrait dire que notre système pénitentiaire se porte mieux que ce que nous voulons bien en dire ici. Malheureusement, la réalité est pire encore.

* *
*

LE BIEN MANGER AU BALLON

L'ordinaire. Demandez à un détenu de vous parler de l'ordinaire en prison, de la qualité de la nourriture dispensée au nom de la République des droits de l'homme dans les établissements carcéraux de notre *dolce* France.

Il vous répondra ce que nous savons tous, à la pénitentiaire. Il vous fera part de ce qui révoltait Julian dès le début de sa détention et qu'il résumait d'une phrase : « Celui qui n'a pas d'argent pour améliorer son ordinaire est condamné à passer sa vie vissé sur la lunette des W-C incertains de sa cellule. » Ou encore : « La bouffe ici est dégueulasse et souvent avariée. »

La situation est la même dans la quasi-totalité des établissements pénitentiaires français. Que l'on y fasse des enquêtes surprises de qualité et des sondages auprès des détenus, que diable ! Que nos chers législateurs y débarquent sans prévenir ! Chiche ? Outre le fait que cela ne se fera jamais, ou que l'on aménagera leur visite au point que les incarcérés n'en croiront pas leurs papilles – au moins ils y auront gagné un bon repas, dans la morne plaine de leur quotidien culinaire –, le résultat est couru d'avance. Le prisonnier est mal nourri et *basta !* Sans la moindre mauvaise conscience. Ne représente-t-il pas la lie de la société ? Pourquoi s'embarrasser ? Il faudrait peut-être qu'il ait droit à une cuisine quatre étoiles concoctée par des toques célèbres, des chefs charismatiques ?

Eh bien pourquoi pas ? Ces cuisiniers que le monde entier nous envie s'honoreraient à l'occasion de quelques dates régulières (Noël, Pâques, la chandeleur, le ramadan, Hanoukka, etc.), symboliques ou non, en contribuant à l'amélioration de l'ordinaire des détenus. Chiche encore donc à MM. Bocuse, Troisgros, Loiseau, Rebuchon, Veyrat, Ducasse, Gagnère, Constant, à Mme Arabian et à tous leurs confrères talentueux. Ils créeraient un peu de bien-être dans ces lieux d'enfermement et cela n'a pas de prix. Que nos directeurs d'établissements me pardonnent, mais je suis persuadé que de telles initiatives, accompagnant des progrès sensibles de la qualité journalière des repas, feraient plus de bien qu'un assortiment de mesures répressives et humiliantes. D'autant qu'il serait bon d'y associer les personnels des pénitentiaires. Je ne serai pas le dernier, croyez-moi, à me porter volontaire ces jours-là, afin de participer aux agapes.

Et que l'on ne me parle pas du Code de procédure pénale qui prévoit dans son article D. 354 que les détenus doivent recevoir une alimentation variée, saine et de présentation agréable, conforme aux normes officielles d'hygiène et de diététique en vigueur tant sur le plan de la qualité que sur celui de la quantité. Cela en tenant compte de l'âge de chacun, de son état de santé, de la nature du travail qu'il exerce, et dans la mesure du possible de ses convictions religieuses et philosophiques.

Il y a loin du Code à la réalité et cet article demeure pour l'instant lettre morte. Un pavé de plus dans la mare des vœux pieux de cet ouvrage.

« Question repas, Momo m'a montré comment faire, me racontait Julian. Quand la gamelle arrive et que Richard, ton esclave, te la tend, tu dois tout de suite séparer la viande des légumes et de sa sauce, qu'il m'a dit.

« Tu jettes immédiatement à la poubelle tout ce qui provient des conserves : petits pois, haricots verts, salsifis et autres…

« Ensuite, tu passes la viande sous l'eau du robinet pour la laver, et quand elle est propre, tu la découpes en petits morceaux, tu l'assaisonnes avec plein de condiments que tu auras cantinés avant et tu les fais revenir dans une poêle – t'en fais pas, t'as de l'oseille, on t'en trouvera une – sur ton petit réchaud bricolé. Tu agrémentes le tout de pâtes ou de riz que tu auras aussi cantinés, et le tour est joué, tu seras un peu moins empoisonné. »

Je n'ignorais rien de tout cela, je n'ignorais pas qu'un repas de prisonnier coûte à l'État la somme de dix-neuf francs cinquante qui sont fichus en l'air parce que la nourriture est préparée par des détenus en cuisine dont ce n'est pas le métier et qui n'y sont pas préparés. Certains d'entre eux par exemple n'hésitent pas à découper des quartiers de viande alors qu'ils souffrent d'un panaris. D'autres – je l'ai vu – ramassent et remettent tranquillement où il était le contenu d'une casserole tombée par terre. Rien ne doit se perdre, tout doit être servi ! À la Santé, depuis des années, un surveillant récupère les eaux grasses, c'est-à-dire les déchets de la nourriture des détenus. Il en tire le meilleur profit pour l'élevage de cochons qu'il a monté en province. Une bonne partie de ceux qui lui ont permis cette aubaine s'y approvisionnent. Il vient d'ailleurs d'être rappelé à l'ordre par le « financier » de cet établissement pénitentiaire qui lui a demandé d'arrêter de récupérer ces eaux grasses, car elles ne sont plus conformes aux normes des nouvelles règles européennes. En poussant à peine le bouchon, on peut se demander si ce surveillant affecté aux cuisines depuis des lustres, confronté à de tels conflits d'intérêts, se préoccupe avec rigueur de la qualité des repas des détenus ? En réalité que les détenus jettent leurs aliments aide à nourrir ses cochons. Cet homme s'est engraissé sur le dos du système. Tout le monde le sait à la Santé. Pourtant, aucun directeur n'a eu le courage d'arrêter ce trafic. Il ne s'en cache pas. Le gros Jacquot qu'il s'appelle. Gras aujourd'hui, autant que ses cochons. Un homme florissant, financièrement et physiquement.

Scan-da-leux !

Il est vrai que tous les établissements pénitentiaires ne sont pas logés à la même enseigne, fort heureusement. Dans les maisons d'arrêt semi-privées comme celles de Villepinte, de Nanterre ou encore de Laon, les plats sont préparés par des sociétés privées de restauration collective, mais ce n'est pas le cas à Fresnes, à la Santé ou aux Baumettes, pour ne citer que les plus connues.

Les questions de sécurité sont, elles aussi, plus que jamais d'actualité depuis quelques mois dans les établissements pénitentiaires français. L'actualité en témoigne, avec notamment les cas de détenus isolés, lâchés dans la nature, récidivant et relevant plutôt de l'hôpital psychiatrique que de la prison ou encore avec les tentatives d'évasion avortées des prisons de Fresnes ou suite aux émeutes de Grasse. Un beau chantier, hélas, pour tous ceux qui s'intéressent au dossier de la sécurité dans les prisons. Dans un tel contexte, où il convient d'être plus attentif encore, les dysfonctionnements ne sont pourtant pas rares. Car, comment expliquer alors, qu'en plein mois d'août 2001, à la maison d'arrêt Paris-la Santé, une personne employée par une entreprise extérieure, chargée de la lutte contre les cafards, ait pu entrer seule, sans être accompagnée par un surveillant, dans le quartier d'isolement, se faire ouvrir la cellule de Carlos, le célèbre terroriste, et procéder tranquillement, à son grand étonnement et à celui de l'occupant de la cellule, avec son « pistolet » chargé de produit spécial à la « décafardisation » des lieux, avant de repartir tranquillement ? Il faut d'ailleurs savoir que les représentants des syndicats de surveillants ont le droit de pénétrer en civil dans le quartier disciplinaire et dans le quartier d'isolement. Cela donne à réfléchir, non ?

Chapitre VII

L'hygiène

Sur le thème de l'hygiène des détenus j'aurais pu bavarder des heures avec Julian. Celle de ses « compagnons » de galère l'indisposait jusqu'au malaise. L'insupportable saleté et vétusté des lieux ne faisait qu'ajouter au sentiment d'écœurement qui l'animait. Le brillant libraire niçois avait l'impression qu'il ne parviendrait jamais à se défaire de cette odeur de prison qui lui collait à la peau, dût-il s'écorcher jusqu'au sang ou vivre cent ans dont des décennies hors les hauts murs. Une odeur suave, nauséabonde et insidieuse, une odeur de mort, plus pugnace que n'importe quel gel, savon ou parfum.

La loi est très précise néanmoins. Les articles D. 357, D. 358 et D. 359 du Code de procédure pénale disposent que la propreté personnelle est exigée de tous les détenus.

Les nécessaires de toilette leur sont remis dès leur entrée en prison, et des facilités (aménagements d'horaires, temps convenable pour cela, etc.) leur sont accordées pour qu'ils puissent vaquer quotidiennement à leurs soins de propreté.

Les détenus ont ainsi le loisir deux fois par semaine, et avant chaque sortie ou conduite à l'extérieur, de pouvoir se raser, tailler leur barbe ou leur moustache, etc.

Sur prescription du médecin, la barbe et la moustache des détenus peuvent être aussi rasées et leurs cheveux coupés très court.

De même, sauf indication contraire du médecin, tous les détenus ont l'obligation de se doucher (d'être douchés si nécessaire) trois fois par semaine. Ils doivent d'ailleurs se plier à cette obligation : prendre une douche avant leur première entrée en cellule.

Ces dispositions légales ne sont malheureusement pas toujours respectées. Certaines constatations ont même de quoi laisser perplexe. À la maison d'arrêt de la Santé, il m'est arrivé fréquemment, outre les punaises qui envahissent toutes les cellules, de voir passer de gros et longs rats.

Au bloc D, un jour, un Zaïrois s'arrête à ma hauteur. Visiblement, il souhaite me parler. Sans doute pour solliciter une faveur. Les Congolais et les Zaïrois demandent souvent des faveurs.

Je m'approche de lui, et je m'aperçois que sa chemise est le théâtre d'un étrange remue-ménage. Mes yeux remontent le long de sa boutonnière et dans son cou, je vois, je vois courir des cafards tout orangés. Je les ai vus ! Je les voyais courir le long de son cou et descendre dans sa chemise. L'homme ne s'était aperçu de rien, ne s'apercevait de rien. Il donnait l'impression ainsi d'avoir apprivoisé la misère, mais à quel prix !

Je n'ai rien osé lui dire ; j'ai répondu à sa sollicitation et j'ai passé mon chemin.

À Fresnes, le tarif en vigueur est d'une douche par semaine – ce qui est dérisoire – sauf pour ceux qui font du sport – mais c'est une infime minorité. Les planqués, ceux qui ont de l'argent, se débrouillent pour avoir droit à plus. Pas facile…

Les douches sont insalubres dans la plupart des vieilles prisons françaises, celles qui ont été construites au début du siècle.

Outre la rouille qui y a élu domicile depuis des années, les conduites y sont souvent bouchées, et exhalent une odeur souvent putride.

Les murs y sont cloqués et des pans de peinture craquelés se détachent parfois et flottent à la surface de ce jus immonde.

Les détenus, le moment venu, sont appelés par le surveillant d'étage. Les portes des cellules sont alors ouvertes l'une après l'autre. Les détenus se placent l'un derrière l'autre et la lente colonie s'ébroue vers les douches collectives.

Leur temps est compté et ils doivent se dépêcher, sinon ils n'auront pas celui de se rincer.

C'est l'endroit rêvé pour les règlements de compte, car les matons ne surveillent pas ou rarement les locaux des douches.

Les coups de surin, coups de têtes et autres coups de poing y pleuvent comme à Gravelotte.

Dans les douches, il se passe aussi d'autres choses.

Des petits jeunes désargentés y offrent leurs culs pour quelques cigarettes ou une protection rapprochée...

Certains autres, souvent des arrivants, sont rackettés ou parfois violés par des petits caïds qui n'hésitent pas après, avec la complicité de quelques surveillants (notamment en favorisant les changements de cellule), à les vendre à des copains de cellule. Cela a un nom : la prostitution.

Je connais des matons qui en sus – j'allais dire en prime ! – se payent le luxe d'assister au (criminel) spectacle pour s'exciter un peu.

Il y a même des travestis qui s'offrent en ces lieux à des surveillants et, pour que tout le monde se taise, ils se donnent aussi à certains détenus.

Aux États-Unis, les prisonniers ont droit à une douche par jour. Chaque détenu dispose d'un jeton qu'il introduit dans une machine. Dès lors le compte à rebours est commencé. Il ne pourra demeurer sous la douche plus de dix minutes. Tous les détenus sont là-bas logés à la même enseigne : dix minutes au maximum, pas une de plus. Au moins les gars sont propres et les coursives ne sont pas empuanties par des odeurs de pisse et de crasse.

Dans les cellules françaises, en dehors des douches, les incarcérés ont toujours la possibilité de se laver grâce au lavabo, me direz-vous.

Mais comment laver son cul devant toute une chambrée sans sombrer dans le ridicule et s'attirer les sarcasmes ?

À la maison d'arrêt de Riom par exemple, les cellules sont encore des chauffoirs où s'entassent jusqu'à dix-sept garçons. Il leur est bien évidemment impossible de bénéficier d'un peu d'intimité pour se laver. Préserver le strict minimum en matière d'hygiène est alors impossible. Résultat la crasse vous gagne, vous submerge tout entier, et vous voilà bientôt ravalé au rang de bête. Comment voulez-vous dans ces conditions mobiliser, faire appel à ce qu'il y a de plus élevé en un détenu, puisque le voilà privé de l'élémentaire vital ?

L'amour-propre étant la chose du monde la mieux partagée, ce qui vous reste quoi que vous ayez perdu, il se peut qu'à Riom comme dans d'autres prisons, le détenu se dise : dans les grandes occasions tout au moins, une visite au parloir, par exemple, un peu de parfum donnerait peut-être momentanément le change. Je puerais moins si j'avais le droit d'en mettre un peu.

Las ! L'eau de toilette et tous les parfums sont interdits en prison de peur que les détenus ne les boivent, ce qui est déjà arrivé. Car, un autre article, l'article D. 346 du Code de procédure pénale, stipule que, quelle que soit leur situation pénale, les détenus peuvent, à moins d'en être privés par mesure disciplinaire ou par prescription médicale, acheter chaque jour en cantine cinquante centilitres de cidre ou de bière d'une faible alcoolémie. La vente dans les cantines de boissons plus fortement alcoolisées, notamment de vin, étant bien évidemment interdite.

Mais on le sait : partout, les vrais alcooliques sont souvent prêts à tout afin de pouvoir assouvir leurs besoins d'alcool et les emprisonnés ne dérogent pas, hélas, à cette triste dépendance.

Certaines épouses et concubines, toujours inventives, ont tout de même trouvé un pis-aller afin de pallier un peu cette triste situation de déficit d'hygiène. Elles imbibent le linge propre de leurs hommes du parfum préféré de ces derniers – ou de leur parfum. Une attention qui selon elles les aide à se sentir moins seuls.

L'hygiène en prison demeure donc un vœu pieux, un rêve inaccessible, un vrai cauchemar pour les détenus à qui il reste un peu de dignité. Comment voulez-vous qu'ils ne se muent pas de temps en temps en de véritables bêtes fauves ?

Chapitre VIII

Le travail et l'école en prison

I/Le défi de la réinsertion[1]

a/L'emploi et la formation professionnelle

En l'an 2000, 22 000 détenus en moyenne ont tenu un emploi (22 534 en 1998), soit un rapport d'activité rétribuée de 46,50 %, selon le RMA ; 1 275 (1 274 en 1998) avaient été embauchés par le service de l'emploi pénitentiaire (SEP/ateliers RIEP[2]) ;

10 154 (10 344 en 1998) travaillaient pour un concessionnaire[3], dont 2 634 d'entre eux dans des établissements à gestion mixte 6 701 (6 728 en 1998) prenaient part au service général[4], 1 177 (1 490 en 1998) travaillaient à l'extérieur, et 2 693 (2 698 en 1998)

1. Source : ministère de la Justice/les chiffres clefs de l'administration pénitentiaire.
2. SEP : ce service est un service dont les compétences sont nationales. Il a pour objet d'organiser la production de biens et de services par des détenus et d'en assurer la commercialisation ; de pourvoir à la gestion et à l'aide au développement d'activités de travail et de formation dans les établissements pour peine notamment, et aussi de gérer la régie industrielle des établissements industriels.
3. Concessionnaire : entreprise privée spécialisée dans le développement d'activités de travail pour les détenus dans les établissements pénitentiaires.
4. Service général : emplois tenus dans les établissements pénitentiaires par des détenus dans les services de maintenance, de restauration et d'hôtellerie.

suivaient une formation professionnelle rémunérée, dont 677 dans des établissements à gestion mixte.

Le salaire mensuel moyen de ces détenus au travail était en l'an 2000 de :

– 770 F (117,38 euros) au service général (740 F/112,81 euros en 1998) ;

– 2 337 F brut (356,27 euros) en concession dans le parc classique/1 950 F dans les établissements à gestion mixte (2 162 F/ 329,59 euros en 1998) ;

– 1 450 F (221,05 euros) en formation professionnelle (13,27 F/ h)/(même salaire en 1998) ;

– 2 834 F (432,04 euros) en SEP (2 487 F/379,14 euros en 1998).

C'est le ministère de l'Emploi et de la Solidarité qui a pris en charge à 61 % le fonctionnement de la formation professionnelle des détenus, tandis que les GRETA, et certaines associations à vocation nationale ou régionale en étaient les principaux prestataires.

L'an dernier, ce sont donc 4 120 000 heures de stages qui ont été dispensées à 21 600 détenus (4 135 223 heures à 19 555 détenus en 1998), suivant l'organigramme suivant :

– bilan-orientation : 3,5 % (3 % en 1998) ;

– lutte contre l'illettrisme : 3,8 % (5 % en 1998) ;

– centre de ressources pédagogiques et ateliers pédagogiques personnalisés : 5,7 % (2 % en 1998) ;

– alphabétisation et remise à niveau : 4,3 % (1 % en 1998) ;

– préqualification et qualification : 77,3 % (préqualification : 36 % et qualification : 46 % en 1998) ;

– préparation à la sortie : 5,2 % (6 % en 1998).

À noter qu'en 1998, cette formation consacrait 1 % de son temps à l'adaptation à l'emploi, ce qui n'est plus le cas depuis l'an dernier.

Ces formations ont été assurées à 16 % par l'administration pénitentiaire (4 % en 1998), 47 % par les GRETA (Éducation nationale) (la part GRETA était de 50 % en 1998), 2 % par l'AFPA (5 % en 1998), 30 % par des organismes associatifs privés ou publics (35 % en 1998), et 6 % (6 % en 1998) par des groupements privés.

b/La formation générale

L'enseignement dispensé aux adultes. Prise en charge par des enseignants diplômés de l'Éducation nationale mutés dans les établissements pénitentiaires, la formation générale des détenus a nécessité, l'année dernière, l'emploi à temps plein de 315 enseignants du 1er degré (306 en 1999), 35,5 professeurs de l'enseignement secondaire à temps plein également (33 en 1999), 1 200 heures de vacations du 1er degré, 2 623 heures de vacations réalisées par des professeurs de l'enseignement secondaire (un nombre d'heures identique en 1999).

Il faut aussi savoir que grâce à une convention signée en 1995 par le ministère de la Justice et le ministère de l'Éducation nationale, des unités pédagogiques régionales (UPR) ont été conçues dans chacune des DRSP. Ces unités ont pour objet de prodiguer la totalité des formations et de permettre aux détenus d'avoir accès aux diplômes de l'Éducation nationale, du primaire, du secondaire et de l'enseignement supérieur.

Les résultats obtenus

Sur les 30 344 détenus qui ont suivi une formation générale durant l'année scolaire ou une partie de l'année scolaire en 2000 (28 958 en 1998) : 6 651 (7 111 en 1998) l'ont suivie dans le cadre de la lutte contre l'illettrisme (alphabétisation), 10 947 en s'inscrivant en primaire (10 769 en 1998), 11 827 (9 459 en 1998) en secondaire, et pour certains à la préparation au bac et au diplôme d'accès aux études universitaires (DAEU), enfin 628 en enseignement supérieur (488 en 1998).

Cerise sur le gâteau : 75 % des 3 521 détenus (76 % des 3 864 détenus en 1998) qui se sont portés candidats à un examen scolaire ou universitaire l'ont passé avec succès dont :

– 1 883 le CFG (certificat de formation générale) (2 106 le CFG en 1998) ;
– 167 des unités du CAP (228 en 1998) ;
– 175 un CAP ou un BEP (231 en 1998) ;
– 218 le brevet des collèges (226 en 1998) ;
– 48 un baccalauréat (52 en 1998) ;
– 86 le DAEU (69 en 1998) ;
– 64 un diplôme de l'enseignement supérieur (36 en 1998).

Des détenus ont aussi suivi des cours par correspondance l'an passé : 2 900 exactement (2 800 en 1998) : 66 % grâce à leur travail avec l'association Auxilia (66 % également en 1998) et 34 % (tout comme en 1998, épatant, non ?) avec le CNED (Centre national d'enseignement à distance).

c/L'enseignement aux mineurs

Au cours de la même année, 2 752 des 3 996 mineurs détenus l'an dernier ont profité de tel ou tel dispositif d'enseignement dans les proportions suivantes :

– 631 en formation d'alphabétisation et de lutte contre l'illettrisme ;

– 1 302 pour des remises à niveau spécifiques et une préparation au CFG ;

– 450 pour les classes du collège et la préparation au brevet ;

– 272 en préparation des diplômes du CAP ou du BEP ;

– 97 dans les classes secondaires, en préparation du baccalauréat et du DAEU.

Les résultats obtenus : 151 mineurs ont obtenu leur CFG, 28 le brevet des collèges, 3 un CAP, 2 un baccalauréat ou le DAEU.

II/L'ARGENT, LA FORMATION, NERFS DE LA GUERRE

Le moral de Julian déclinait. Cela faisait maintenant plus de trois cents jours qu'il croupissait (selon ses propres termes) derrière les barreaux et sa situation n'évoluait pas. Heureusement – il n'arrêtait pas d'en remercier François – qu'il avait le loisir de pouvoir converser avec lui, à bâtons rompus, de l'univers carcéral. Cela l'aidait à supporter et à comprendre ce qui lui arrivait. Julian n'était pas un détenu comme les autres.

La pratique sportive ne l'intéressait pas. Il n'avait jamais été un sportif bien vaillant. Bien sûr, en prison, le sport aide à ne pas perdre espoir, à se sentir encore en vie, sinon utile, à réfléchir... Les activités sportives qui y sont exercées le sont sous le magister de :

– 216 surveillants moniteurs de sport et un professeur d'éducation physique et sportive détaché en établissement ;

– 105 vacataires ;

– 15 animateurs bénévoles (et 50 surveillants faisant office de moniteurs à temps plein ou partiel)[1].

Les 186 établissements pénitentiaires comptent :

– 67 cours de promenade assez grands pour figurer un terrain de sport ;

– 96 terrains de sport ;

– 33 gymnases ;

– 120 salles de pratique sportive générale[2].

Les détenus peuvent s'adonner à une pratique sportive hebdomadaire moyenne de deux à trois heures.

Mais le sport n'enthousiasmait pas Julian. « La sélection par le muscle, disait-il, très peu pour moi. J'admire certains grands champions, leur goût de l'effort, leur capacité à se surpasser, mais leurs exploits ne me grisent pas, ne m'emportent pas, aucun d'entre eux ne me met en état de fièvre. La lecture de la moindre page de Baudelaire, si. »

Ce jour-là, une autre journée maussade succédant à une autre journée maussade, François, non sans arrière-pensées, aborda le sujet délicat des enfants incarcérés sur le mode : « Il y a toujours plus malheureux que soi. » Julian, grippé, l'écoutait malgré tout avec attention.

« En matière de réforme pénitentiaire à entreprendre d'urgence, le centre des jeunes détenus de Fleury-Mérogis est exemplaire, de nombreux observateurs s'accordent à le dire. (J'y ai moi-même effectué un stage rapide qui n'a fait que corroborer ce que je savais déjà.)

---

1. Le nombre de personnes chargées de la pratique sportive des détenus était le même en 1998.
2. Le nombre de ces infrastructures était le même en 1998.

« Coupable amalgame : les jeunes gens qui y sont incarcérés ont commis des délits de tous ordres. Du simple vol au crime parfois. Et ils ont de treize à vingt et un ans.

« Les “grands”, les plus âgés, s’ingénient le plus souvent à y faire régner leur loi. L’instauration de la terreur leur sert de moyen de communication. Ils embrigadent les plus jeunes qui finissent par adhérer à ce code très particulier de la loi du plus fort et pour lesquels ce passage en prison finit par devenir un fait d’armes glorieux.

« Une fois sortis, de retour chez eux, fréquemment dans une cité de banlieue, ils sont placés sur un piédestal et vénérés par certains de leurs camarades n’ayant pas (encore ?) connu cet illustre privilège.

« Les plus faibles renoueront avec leurs caïds. Mais de petits délinquants qu’ils étaient, ils deviendront des hommes de main très efficaces, car très influençables, sensibles à la flatterie. Des petites frappes à l’ego surdimensionné.

« Les autres, les plus dangereux, escaladeront quatre par quatre les marches du petit et du grand banditisme. Ils ne tarderont pas à devenir eux-mêmes des caïds, voire des apprentis terroristes ou des terroristes. Une actualité récente en témoigne.

« Pourtant, en prison, une alternative est proposée aux jeunes détenus : celle du travail, mais aussi des études, obligatoires pour les moins de seize ans.

« Alors que font-ils à Fleury-Mérogis ? Eh bien ! Ils y ont la possibilité de travailler dans des ateliers, d’apprendre théoriquement des métiers : ceux d’ajusteur, de fraiseur, de tourneur…

« Question travail, il leur est aussi donné la possibilité d’enfiler des perles ou de placer des allumettes dans des boîtes : main-d’œuvre à bon marché, pour des activités très rentables…

« Activités que l’on qualifie pompeusement de réinsertion par le travail.

« Un chat est un chat. Moi j’appelle cela l’exploitation des enfants, de la jeunesse par de grosses multinationales.

« Le “travail” en prison de ces enfants, adolescents et jeunes gens, n’est jamais mis en valeur. Ils ne comprennent pas pourquoi on le leur donne à faire et ce à quoi il sert. Ils n’ont donc pour lui aucune espèce de respect. Enfiler des perles ne vous destine pas à une réinsertion réussie au sortir de votre peine.

« Les activités scolaires sont plus bénéfiques, bien entendu. Mais à Fleury, le taux d'analphabétisme avoisine les 60 %, c'est dire qu'il y a urgence, et qu'une remise à niveau sans cesse renouvelée s'impose.

« Bien sûr, des professeurs de l'Éducation nationale se rendent tous les jours dans cette prison pour dispenser des cours. Leurs élèves peuvent ainsi obtenir un certificat d'étude ou le brevet des collèges. Mais cet enseignement n'est pas prodigué de manière rationnelle et systématique. L'on ne gagnera la lutte contre le crime et les délits divers, contre la récidive, la bataille pour l'édification d'une prison plus humaine, plus juste, plus efficace, une prison qui servirait à mieux réinsérer les détenus, que si l'on instaure un véritable système scolaire en prison pour les plus jeunes. Un système auquel chacun aurait accès avec une égalité de chances. Un système au moins aussi performant à l'intérieur de la prison, que celui mis en vigueur à l'extérieur pour l'ensemble des citoyens.

« Il n'est point besoin de longs développements pour comprendre les avantages que cette révolution en profondeur engendrerait dans un pays dit démocratique. Car le moins que l'on puisse dire du système actuel, c'est qu'il contribue à alimenter en ses entrailles la machine à tuer. Concentrer cette population dans des lieux clos, où les conditions de vie – régies par une discipline de fer et une obligation de travail qui n'en est pas vraiment une – sont plus que précaires, façonne à coup sûr, selon l'expression ici appropriée de véritables "sauvageons" prêts à en découdre avec toute la société, et plus précisément avec tout ce qui ressemble de près ou de loin à un représentant de l'ordre. »

Julian écoutait attentivement François et lui sourit tandis qu'il reprenait souffle après ce long développement, interrompu par une toux tenace. Il partageait les vues de ce directeur si particulier, lui confiant même que sa tâche de bibliothécaire l'aidait à « tenir », à mieux supporter la prison.

Ce sourire ne le quitta pas quand François à son habitude se montra encore plus précis.

« Du point de vue législatif, pourtant, des dispositions ont été prises. La lettre et l'esprit de la loi ne demandent qu'à être mis convenablement en application. Le travail pour l'administration pénitentiaire est un gage de réinsertion. En théorie tout du moins. Il est d'ailleurs l'objet de l'article 720 du Code de procédure pénale. Il rentre en ligne de compte pour obtenir une libération conditionnelle et permet même d'obtenir des remises de peine spéciales qui sont calculées en même temps que les remises de peine classiques. Des mois de détention en moins, pour vous détenus, c'est toujours cela de gagné !

« Et puis le fruit du travail du détenu permet d'indemniser autant que faire se peut les parties civiles. »

À ces mots, Julian ne put s'empêcher de réagir. « C'est cela, oui ! Au tarif où vous nous payez, il faudrait des siècles à la plupart d'entre nous pour rembourser ! Parce que, que se passe-t-il en vérité ? Une partie de l'argent que nous gagnons nous est soustrait d'office, et affecté à un poste prévu à cet effet, sans nous demander notre avis. C'est l'article D. 101 du Code de procédure pénale qui le prévoit. Vous voyez, moi aussi j'en connais un rayon là-dessus, maintenant, grâce à mon avocat.

« Dire des détenus que ce sont des feignants, des bons à rien, est un peu fort de café. Nous travaillons gratuitement en accomplissant certains travaux : le ménage, la cuisine, la plomberie, l'électricité, la comptabilité, la blanchisserie, la bibliothèque et les services des étages.

« Georgio est le plus planqué et le plus enviable de nous tous.

« Il s'occupe de gérer la cantine des gars et de la distribuer. Il est détenteur de la clef du stock et se balade toute la journée parmi les coursives de la division et dans les couloirs de la maison d'arrêt.

« On ne sait jamais où il est, mais il est toujours là quand on l'appelle.

« Il s'arrête pour prendre un café dans une cellule et puis discute le coup une petite demi-heure avant de repartir tranquillement vers de nouvelles aventures.

« En vérité, Georgio est le roi du trafic. Moyennant denrées variées ou espèces sonnantes et trébuchantes, il détourne au nez et à la barbe des surveillants ou avec leur complicité, allez savoir, tout ce dont les détenus capables d'y mettre le prix ont besoin et lui demandent.

« De l'alcool, des cigarettes, des denrées alimentaires et autres produits : de la corde ou des armes, pourquoi pas ?

« Tout le monde l'aime. Ce garçon apporte du bonheur, non ? Mais moi, je sais une chose, c'est qu'il n'est pas là par hasard. C'est impossible. Pas vrai, monsieur François ?

« – Continue, dis-moi ce que tu sais, se contenta de lui enjoindre le fonctionnaire, le visage un peu plus fermé.

« – La direction a accepté de lui attribuer ce poste parce que son grade, sa position, dans la hiérarchie des voyous sont tels que pour éviter tout problème avec lui, il vaut mieux lâcher un peu de lest et le soigner aux petits oignons. Je suis sûr de ne pas me tromper là-dessus.

« – Qu'est-ce que tu crois ? lui répondit François, presque en colère. On ne fait pas d'omelettes sans casser des œufs. Penses-tu vraiment que vous soyez des enfants de cœur, vous les détenus ? »

Julian se tut un court instant mais ne put s'empêcher de revenir à la charge, d'une voix un peu lasse.

« Je comprends monsieur François, je comprends. Seulement, le travail en atelier ou en cellule laisse lui aussi à désirer. Ne m'en veuillez pas, j'essaye seulement de comprendre et comme vous avez la bonté d'en parler avec moi...

« Ce sont des sociétés privées qui passent des contrats avec l'administration pénitentiaire, non ? Et les travaux dont ces contrats sont l'objet ne requièrent pas de qualifications particulières de la part des détenus chargés de les exécuter. C'est pour cela que le taux horaire fixé par vos dirigeants est bien plus bas que celui du SMIC et que les détenus ne s'en sortent pas.

« Richard, notre pauvre Richard, demande souvent de pouvoir travailler. Il n'a personne à l'extérieur, je vous l'ai déjà dit. L'autre jour, des matons sont venus le chercher. Il devait ramener, dans la cellule, dix caisses de clous et dix caisses de petits sachets en plastique. Il a mis trois heures rien que pour cela.

« Vous voyez le tableau ! À trois dans 9 m^2 on ne pouvait plus bouger.

« Il était assis sur le lit, avec la télévision en fond sonore, et il mettait cinquante clous par sachet, puis il agrafait une bande en carton.

« Il est payé vingt centimes le sachet. Faites l'addition ! Il devra en remplir des sachets pour se payer un paquet de cigarettes ! Surtout qu'une partie de cet argent ne lui est pas versée, puisque affectée sur le pécule libérable. Eh oui ! Dans sa grande amabilité, maman justice ne nous oublie pas. Elle pense à notre réinsertion. Nous ne devons pas sortir complètement démunis des geôles de notre pays. Juste un peu garrottés.

« On se fout de notre gueule monsieur François ! affirma le "bibliothécaire" en éternuant.

« En moyenne un détenu qui travaille gagne environ 1 500 francs par mois. Cette discrimination participe aussi de l'humiliation des prisonniers. Le système nous considère comme des sous-hommes. »

François observait Julian avec un sourire amusé. Presque étonné de le voir aussi lucide après dix mois passés derrière les barreaux. Son attitude plaidait en sa faveur. Ah ! ça oui ! Ce Julian en avait plus dans le ventre qu'il n'aurait pensé.

La faconde amicale du fonctionnaire ne désarma pas pour autant l'emportement du bibliothécaire niçois. Impitoyable, il continua, enfonçant le clou. Il lui rapporta que certains de ses codétenus, auparavant emprisonnés en province, lui avaient appris que, dans certains centres de détention, le travail des détenus consistait par exemple à emballer des brosses à dents. Lesquelles, après avoir suivi un étrange circuit, leur étaient revendues plus tard au prix fort par des matons peu scrupuleux.

« Il n'y a pas de petits profits, monsieur François, pas vrai ? insista Julian. En amont, ces entreprises font des économies de main-d'œuvre sur le dos des taulards et, en aval, réalisent parfois, sur le dos des mêmes taulards, de substantiels bénéfices en leur revendant la came qu'ils ont contribué à façonner. Et du bon côté du manche, tout le monde est content. Les directeurs de ces centres, qui ferment les yeux et ne veulent rien savoir, tant qu'il n'y a pas de vagues, que le système fonctionne ; et les surveillants ripoux qui arrondissent ainsi leurs fins de mois.

« La boucle étant ainsi bouclée, les détenus exploités n'ont de toute façon qu'à bien se tenir, car celui qui ose remettre en cause le système se voit aussitôt sanctionné par un rapport, des jours de mitard et un transfert.

« On n'aime pas les fortes têtes dans les prisons. Vous le savez bien, monsieur François. »

Le directeur technique acquiesça. Bien sûr qu'il savait et il confirma qu'en règle générale, un détenu qui fait trop de vagues est discrètement transféré dans une autre prison. Ce déplacement étant sobrement estampillé : « Transfert disciplinaire. »

Ce jour-là les deux hommes se séparèrent avec un sentiment de frustration mutuelle. François n'ignorait rien des dysfonctionnements de son administration. Bien des fois, il avait songé à démissionner. Seulement, à son âge, après tant d'années, rebondir ailleurs serait difficile. Et puis il aimait son travail. Il pouvait être utile, à défaut d'avoir le pouvoir de réformer. Julian, lui, ne décolérait plus. La prison, insupportable, vampirisait tout son être. Il n'en voyait plus le bout, comme si un avant n'avait jamais existé. Même ses souvenirs les plus chers le quittaient, s'évaporaient, ne résistant pas à cette petite mort insidieuse qui gangrenait désormais son quotidien. Les fins de semaine étaient de plus en plus longues. Le week-end étouffait tout le reste. Deux jours sans travail, deux jours durant où il ne pouvait converser avec monsieur François. S'épancher, écouter, échanger.

Une éternité le séparait ce jour-là du début de la semaine suivante. Une éternité fragile durant laquelle il aurait encore envie d'en finir, de refermer le livre de sa vie pour homme seul égaré dans un cul-de-basse-fosse cruel à cause d'il ne savait quelles innocentes errances d'une coupable inconscience. Mais coupable seulement de cela, de cette inconscience-là.

Ces rencontres avec François S. devenaient au fil du temps, alors que l'instruction de son dossier en était au point mort, les seuls moments de réconfort de sa morne existence actuelle. L'unique point d'eau dans le désert...

Le lundi suivant, François fit son entrée dans la bibliothèque au moment où Julian, maugréant dans son coin, ramassait quelques livres qui lui avaient échappé et qu'il était en train de classer.

Il venait d'apprendre que la possibilité de se faire envoyer des livres afin de préparer un mémoire de maîtrise en sociologie politique avait été refusée peu de temps auparavant à un détenu et cela avait le don de l'irriter.

L'administration et le directeur au premier chef avaient motivé leur refus par leur scie habituelle : *pour des raisons de sécurité !*

« Vous vous rendez compte de la bêtise humaine, monsieur François. De la connerie humaine ! tonna Julian. Et on continue dans les ministères, sur les ondes, à nous parler de réinsertion, à nous rebattre les oreilles avec ce mot. Ils n'ont que lui à la bouche et ils en font des gorges chaudes. De la poudre aux yeux oui ! Dès qu'il s'agit d'aider vraiment il n'est plus question de rien. Réinsertion de mes... oui Excusez-moi, monsieur François ! mais cela me révolte. Alors... tant pis pour le beau langage. Ici il ne m'est d'aucune utilité, au contraire. Il m'empêche le plus souvent de me faire comprendre, d'obtenir ce que je veux, de parvenir à mes fins... »

Après quelques secondes de silence, Julian reprit :

« Je ne sais pas mais j'ai comme qui dirait la curieuse impression que les hauts dignitaires qui régissent notre vie en ces lieux – je ne dis pas cela pour vous monsieur François ! – sont presque jaloux de voir que, dans un univers aussi dur, quelques prisonniers parviennent à suivre des études supérieures. Ce qu'ils auraient été incapables de faire s'ils avaient suivi à l'extérieur un cursus universitaire habituel.

« – Encore heureux, lui répondit François, que grâce au CNED, (Centre national d'éducation à distance) qui dispense des cours par correspondance, dont la vocation est d'éduquer les masses, et non de former une élite, certains prisonniers parviennent au prix de gros efforts à mener à bien un cursus universitaire.

« Il y a vingt ans de cela, j'ai rencontré un jeune type, tu sais un de ces anarchistes, un vrai, qui s'était pris pour la bande à Bonnot à lui tout seul.

« Il dévalisait les banques pour ce qu'il considérait être une bonne cause et il y croyait dur comme fer.

« Finalement, à vingt-trois ans, à force de braquer les usines à machine à billets, comme il disait, il est tombé, s'est fait serrer, et a plongé pour dix-huit ans de réclusion criminelle. Autant dire que sa jeunesse et la cause qu'il défendait perdaient là quelques plumes.

« Sa vie était foutue, mais il décida de s'accrocher.

« Il suivit d'abord une formation de remise à niveau, puis il passa son baccalauréat grâce aux professeurs de l'Éducation nationale dont certains se dévouent avec une constance remarquable à venir enseigner dans des conditions aussi précaires que celles en vigueur dans nombre d'établissements pénitentiaires.

« Il entreprit ensuite une maîtrise en psychologie. On ne peut y parvenir en prison que si l'on suit des cours par correspondance. Donc, pas de professeurs, pas de livres supplémentaires, mais des cours et des travaux pratiques qui vous sont envoyés par courrier. Il est alors presque impossible de réussir dans ces conditions.

« Eh bien ! Tiens-toi bien, il a fini par emporter bien plus que ce morceau après avoir changé trois fois de prison. Il est devenu docteur en psychologie. D'une maison centrale, il était passé par deux centres de détention successifs, sans que jamais l'administration pénitentiaire ne l'aide dans sa démarche. Pire, elle a même refusé durant toutes ces années d'honorer favorablement ses demandes pour qu'il obtienne des bibliothèques universitaires la documentation nécessaire, afin qu'il puisse passer son doctorat. Pourtant, se jouant, dans la douleur, des obstacles, il a réussi. »

Julian, n'en doutait pas. Il fit cependant remarquer à François que de si hautes cimes étaient impossibles à atteindre pour la très grande majorité de la population carcérale, peu portée sur l'étude.

« Si ce type, qui était un être d'exception, continua François, est finalement parvenu, grâce à son talent et à sa volonté, à déjouer tous les mauvais plans de l'administration, tu sais bien sûr, tu viens de me le dire que la plupart des détenus n'obtiennent pas ce résultat. Ceux qui n'ont jamais aimé l'école, pour qui apprendre était, dehors, une insulte, ne peuvent pas réussir quoi que ce soit en prison, à part des formations dites professionnelles, du type traitement (agent) de surface. Et encore, ils n'y auront pas tous accès, puisqu'un numerus clausus, répondant à des critères de sélection bien particuliers, est pratiqué par cette administration.

« Les heureux élus sortiront de prison capables au mieux de nettoyer un supermarché.

« Tu parles d'un avenir pour la jeunesse des banlieues ou d'ailleurs. Quelle belle promotion sociale ! Quelle merveilleuse promesse de réinsertion ! Alors que si la prison devait servir à quelque chose, y compris même de manière un peu contraignante, **obligatoire**, c'est bien à cela. À une vraie formation, à la poursuite ou à l'entreprise d'études sérieuses et obligatoires, o-bli-ga-toi-res. Quels que soient la peine et l'âge des détenus, je suis sûr que cela résoudrait bien des problèmes ! Mais quel gouvernement aura le courage d'entreprendre cette vraie réforme, cette réforme capitale, sans reculer devant les coûts ? Il faut savoir ce que l'on veut. Je suis de ceux qui pensent que la connaissance évite de faire un certain nombre de conneries, notamment celles liées aux nécessités vitales, parce que souvent, elle vous permet de gagner votre vie correctement. Un type qui crève de faim volera presque à coup sûr pour manger. Et qu'on ne me parle pas d'utopie avec une bonne conscience de bien-nourri. La connaissance n'éteindra pas le crime, mais en diminuera le nombre, ainsi que celui des délits en tout genre. La société est-elle prête à cela ? Le veut-elle, en définitive ? »

Julian éternua de nouveau. Sa sale grippe persistait. Dès demain, assura-t-il à François, il demanderait à voir un médecin.

Chapitre IX

La maladie en prison

I/La politique de santé[1]

L'organisation des soins. Conformément à la loi du 18 janvier 1994, l'organisation des soins en milieu carcéral est assurée par le service public hospitalier, ce qui a pour immédiat résultat l'immatriculation à la Sécurité sociale de chaque détenu.

Jusqu'à cette année 2001, dans les établissements à gestion déléguée, au cours des dix années passées, les fonctions de santé étaient assurées par des groupements privés. Vingt et une équipes médicales dépendant de ces derniers prenaient soin des prisonniers. Dorénavant cette mission de soins aux personnes détenues sera assurée par les établissements de santé afin *de ne plus déroger* aux dispositions de la loi du 18 janvier 1994.

La mission générale de soins aux personnes détenues dévolue au service public hospitalier est très précise, elle concerne les soins somatiques et psychiatriques, la prévention et la préparation du suivi après la sortie de prison.

Le fonctionnement. Un protocole d'accord associe chaque établissement pénitentiaire à un établissement de santé de proximité. Un protocole supplémentaire est signé quand des soins psychiatriques

1. Source : ministère de la Justice : Les chiffres-clés de l'administration pénitentiaire.

par exemple sont assurés par un autre établissement de santé. Afin de mener à bien leur mission, les hôpitaux ayant en charge les soins somatiques ont créé des unités de consultations et de soins ambulatoires en milieu pénitentiaire (UCSA)[1].

Les soins mentaux. Assurés depuis 1986 par le service public hospitalier, les soins médico-psychologiques bénéficient aujourd'hui de moyens accrus :

– 125 secteurs de psychiatrie générale officient désormais en milieu pénitentiaire pour les soins ambulatoires ;

– 26 services médico-psychologiques régionaux, SMPR[2], sont désormais chargés des soins intensifs et des hospitalisations volontaires pour la totalité de la population pénale.

Les hospitalisations psychiatriques sans le consentement des personnes détenues doivent être effectuées sous forme d'hospitalisations d'office dans les établissements de santé *had hoc* autorisés.

Et pourtant !

II/Le pouvoir de vie ou de mort du personnel

Il vaut mieux ne jamais être malade en détention. La maladie renforce le sentiment d'insécurité ambiant éprouvé par la plupart des détenus. Malades, ils se sentent plus vulnérables, davantage à la merci des autres qu'à l'accoutumée. Cette dépendance est mal vécue, d'autant que les surveillants n'ont pas pour habitude de porter une attention soutenue aux détenus se déclarant souffrant. Méfiance et duperies vécues obligent. Un détenu entre souvent en grande soli-

---

1. UCSA : Unité hospitalière implantée en milieu pénitentiaire, assure les soins somatiques et psychiatriques incluant la prévention, l'organisation des soins en milieu hospitalier ainsi que la continuité de soins à la sortie de détention.
2. SMPR : Service médico-psychologique régional. Service de psychiatrie implanté en milieu pénitentiaire ayant une vocation régionale et comprenant une unité d'hospitalisation, offrant des soins diversifiés incluant l'hospitalisation volontaire.

tude, dans l'hiver de son incarcération, lorsqu'il tombe malade. Julian durant cette période en fit la triste expérience.

C'était à prévoir, son état empira dès le lendemain. Ce jour-là donc, Julian est fiévreux. Pas étonnant quand on connaît les conditions d'incarcération et le froid qui règne l'hiver dans les « cellottes ».

Pour la première fois, en trois cents jours de détention, sa santé le lâche.

En pareille occasion, la procédure est simple. Il suffit d'appeler le surveillant d'étage et de lui remettre une demande écrite pour être examiné par le médecin. Julian a déjà rédigé la sienne et fait appel dans la journée au maton. Seulement, la théorie du règlement n'a rien à voir avec son application pratique.

D'abord, cette procédure est un véritable casse-tête pour les détenus étrangers qui maîtrisent mal le français. Il leur faut trouver un bienveillant compagnon d'infortune qui acceptera de rédiger cette demande à leur place.

Ensuite, le surveillant sollicité ne doit pas estimer être trop occupé, sinon, il ne prendra pas la demande en charge.

Il vaut mieux d'ailleurs, dans certains cas, qu'il n'y ait pas de contentieux entre le détenu souffrant et ce surveillant, car celui-ci, à titre de représailles, peut tout simplement déchirer le ticket sans autre forme de procès...

Si toutefois, l'heure et la démarche lui paraissent s'y prêter, une discussion en sera bientôt le fruit, au cours de laquelle, le malade devra persuader son geôlier de la réalité des maux dont il souffre et de l'urgence à transmettre la demande au médecin. Ledit maton se trouvera ainsi investi de la faculté de pouvoir diagnostiquer l'urgence ou la non-urgence de l'intervention du praticien. Mais passons là-dessus...

Une fois la demande entre les mains de notre surveillant-carabin, messager de droit divin, encore faut-il qu'elle parvienne au service médical. Si le courant ne passe pas très bien entre le malade ou le pseudo-malade et son maton, elle mettra deux, voire trois jours à arriver dans le bon service.

Durant ce temps, l'état du détenu, s'il est souffrant, empire plus ou moins gravement. C'est ce qui arrive à Julian, qui grelotte sans soins, ni médicaments au fond de son lit.

Et Julian n'est pas prêt d'être soigné, puisqu'il lui faudra attendre deux jours de plus au minimum que les plannings du service médical permettent de l'enregistrer sur la liste le jour J.

À ce train-là, ou bien le virus a disparu, ou bien la maladie a empiré, et le traitement lorsqu'il sera enfin établi et administré sera plus lourd et plus long.

Cela laisse à penser lorsque l'on songe que parfois l'hospitalisation est nécessaire.

Heureusement pour lui, Julian a du caractère. Cette fois-là, il se soigna tout seul ou presque. Sa fièvre n'était pas mortelle, et mon aspirine le tira d'affaire.

En matière de soins apportés aux détenus, la situation était pourtant censée s'être améliorée depuis 1994 parce que la loi impose que les traitements en prison soient prodigués par des médecins de l'Assistance publique.

Pourtant, des médecins attachés à demeure à l'établissement pénitentiaire exerçaient encore tout récemment (il y a moins d'un an) à Fresnes.

Bizarrement – il faut bien le dire –, les seuls détenus bien traités en prison ou, en tout cas, les mieux traités, sont les malades atteints du sida. Ils reçoivent très rapidement les soins nécessaires, et c'est heureux[1].

Autre élément positif, les entrants aussi bénéficient, comme à l'armée, d'un examen complet. En amont, les vaccins sont injectés, les maladies graves dépistées[2]. Cela participe d'une politique de santé publique dûment arrêtée (voir les détails plus haut).

À Fresnes, qui abrite le seul hôpital pénitentiaire de France, dans le grand quartier, celui des hommes, la plupart des détenus estiment ne pas être soignés ainsi qu'ils le devraient. Quelques-uns de mes collègues, en privé, font le même constat : l'hôpital, cet hôpital si proche, pour les prisonniers, est un luxe.

Le médecin chef est une femme. Le moins que l'on puisse écrire à son sujet, c'est qu'elle ne jouit pas d'une réputation de grande humanité.

---

1. Trithérapie, dépistage de l'hépatite B et C, notamment.
2. C'est durant la détention que la situation se dégrade.

Ce n'est pas Raoul qui dirait le contraire. Ce grave insuffisant cardiaque qui ne pouvait plus marcher depuis plusieurs mois était « logé » pour cette raison dans une cellule au rez-de-chaussée en compagnie de Raymond, un homme de quatre-vingts ans que deux surveillants soutenaient lorsqu'il devait se déplacer.

Raoul un soir ne se sentit pas bien. Il fit alors appeler d'urgence le médecin chef qui pour une fois se déplaça aussitôt. Cette femme, après auscultation, estima que ce détenu jouait la comédie, et refusa qu'il soit transféré à l'hôpital pénitentiaire, à cinquante mètres de là.

Résultat, au cours de cette même nuit, Raoul le « comédien » fut victime d'une embolie et sombra dans le coma. Heureusement, ce soir-là, un super-surveillant, un vrai professionnel se trouvait de garde. Nonobstant le diagnostic du médecin chef, il se débrouilla pour que Raoul soit pris en charge *à temps* par le Samu et transporté d'urgence en réanimation dans un autre hôpital, celui du Kremlin-Bicêtre.

Autre exemple, celui de Jules. Pour lui, cela se passa moins bien. Il avait la malchance d'être détenu en troisième division, au bout de la prison.

Sur le coup de 3 heures du matin, ses compagnons de cellule et ceux des cellules avoisinantes furent réveillés par ses gémissements. En pareil cas, la réaction des détenus est toujours la même : instinctive. Ils se mirent à taper sur les portes durant de longues minutes, solidaires. Un quart d'heure peut-être, avant que le surveillant d'étage ne vienne aux nouvelles et se décide enfin à avertir le chef. Ce chef sacré, seul détenteur des clefs qui donnent accès aux cellules.

Le temps s'était trop étiré avant que les représentants du Samu ne soient à son chevet. Ils arrivèrent trop tard. Jules était déjà mort. Un infarctus du myocarde avait eu raison de lui.

Comment ne pas comprendre la haine, le dégoût, le sentiment d'absurdité qui vient aux codétenus lorsqu'ils vivent cela ? Certains ont alors envie de brûler la prison, d'en venir aux mains, jusqu'à la dernière extrémité, avec les surveillants.

Je fais partie de cette grande maison : La Pénitentiaire, de cette famille que je me suis choisie et au sein de laquelle il m'arrive parfois de me sentir étranger. Tristesse et lassitude me prennent souvent. J'en connais si bien l'esprit, et j'en ignore si peu sur les motivations d'un nombre croissant de ses membres. Comment être solidaire d'une mentalité qui génère paradoxes et injustices quelquefois mortels ? Je devrais une fois pour toutes avoir le courage de rassembler dans mon baluchon l'essentiel, ce à quoi je tiens de ma « carrière », ce dont je m'honore et m'en aller sac au dos, vers d'autres routes plus hospitalières.

Mais ce serait ballot, ça, pas vrai ? Plus que ballot, lâche. J'aurais l'impression de me renier. De ne pas aller jusqu'au bout. De baisser les bras. D'être comme certains d'entre eux. De ne pas avoir essayé de contribuer à changer les choses. De choisir le confort d'une porte claquée à l'inconfort d'une porte forcée.

Je ne suis pas un vieux taulard racontant ses vieilles campagnes ou même un avocat toujours sujet à caution, c'est si facile ! J'ai plutôt tout à perdre en écrivant ce que je sais, ce que j'ai vu et entendu...

Une fois Julian guéri, nous avons repris nos petites habitudes. Nous nous sommes entretenus de la maladie en prison. Il venait de vivre cela en direct. Alors je lui ai raconté l'Argentin.

Je ne suis pas le seul fonctionnaire à la pénitentiaire que ces cas de non-assistance à personne en danger révoltent. Bien au contraire. Bon nombre de surveillants s'insurgent aussi contre ces pratiques.

L'un de ceux-là, surveillant à la maison d'arrêt de Seine-Saint-Denis, me confia un jour qu'un détenu étranger, surnommé l'Argentin, seul, sans attache familiale en France, victime d'une grave tumeur au cerveau avait demandé des mois durant, sans succès, son transfert à l'hôpital de Fresnes.

Plus son état s'aggravait, plus ses demandes se faisaient pressantes.

D'abord, il fut atteint d'une paralysie faciale, puis son œil gauche se ferma complètement, enfin des troubles de la parole de plus en plus importants l'empêchèrent au fur et à mesure de s'exprimer.

Il devait être opéré de toute urgence afin d'éviter le pire.

Rien n'y fit. Le directeur de sa maison d'arrêt en avait décidé autrement. Cet homme resterait à Villepinte, dût-il en crever.

Il faut tout de même beaucoup d'inconscience, ou un tempérament porté au sadisme pour réagir de la sorte devant un cas comme celui-ci.

Pas de famille, pas d'amis, donc pas de pression, pas de représailles, l'Argentin était un client parfait sur lequel exercer en toute impunité son magister moral. C'était compter sans la pugnacité de son avocate, car de temps en temps, n'en déplaise, ils servent à quelque chose les avocats.

Elle déposa une plainte contre le directeur pour non-assistance à personne en danger.

Dix jours après, l'Argentin bénéficiait d'une grâce médicale et rentrait chez lui afin de pouvoir mourir dignement auprès des siens.

Les pouvoirs d'un directeur d'établissement pénitentiaire sont exorbitants. Il doit en user avec rigueur et justesse. Ce quasi-droit de vie ou de mort sur les détenus qu'il détient devrait être aménagé. Car actuellement la seule chose que ce cadre supérieur ait à craindre, c'est qu'un jour l'inspection des services lui présente l'addition[1]. Autant dire jamais, car tout se maquille. Tout a un prix, y compris le silence.

« J'ai bien compris, demeurer en bonne santé, parvenir à se faire soigner, relève la plupart du temps de la gageure en prison. C'est bien ça ? Si un jour je suis beaucoup plus sérieusement malade, j'en crèverai, y'a pas. Quand je pense que des types au bout du rouleau entament des grèves de la faim. Ils en meurent, pas vrai monsieur François, et on n'en parle jamais dans les journaux ? »

À ces questions de Julian, je pouvais aussi répondre en connaissance de cause. Les grèves de la faim sont la hantise des responsables d'établissement.

Les rapports officiels sur les prisons les passent volontiers sous silence. Elles sont rarement recensées, commentées, bien que couramment pratiquées en maison d'arrêt.

Un détenu sur cinq a fait, fait ou fera une grève de la faim au cours de sa détention.

À la maison d'arrêt de la Santé, ces détenus particuliers sont signalés par un écriteau accroché à la porte de leur cellule sur lequel on peut lire : « Gréviste de la faim. »

Ils font la grève par désespoir, pour obéir à une pulsion suicidaire, pour exercer un chantage, ou pour des raisons politiques, c'est selon.

1. Les plus malins font attention à ne pas dépasser certaines limites, ce qui engagerait à tout jamais leur responsabilité et pourrait influer gravement sur la qualité de leurs notes, si utiles pour le tableau d'avancement.

Souvent, cela leur semble être le meilleur moyen de résister au juge d'instruction sur lequel ils espèrent ainsi faire pression. Un peu comme ces derniers l'ont fait en les plaçant sous mandat de dépôt.

C'est empoisonnant un gréviste de la faim.

D'abord vous devez vous en occuper comme d'un malade, voire un peu plus. Car, il n'omet jamais de vous rappeler à chaque fois que vous ouvrez sa cellule qu'il ne mange pas et ne mangera pas de sitôt.

Ensuite, il est dangereux, car au bout de quelques semaines, il peut vous claquer entre les doigts. Vous voilà donc obligé de mettre en place un protocole médical.

Enfin, un gréviste de la faim est contagieux. Outre le fait que son exemple donne des idées aux autres détenus, son attitude installe, engendre, crée, une mauvaise ambiance à l'étage où ses codétenus finissent toujours par s'en mêler, tant le prétexte est trop beau pour eux de prouver que les surveillants ne sont encore une fois pas à la hauteur.

Dans la majorité des cas, ces grévistes mettent fin à leur action dans les huit jours.

Il suffirait souvent – mais les surveillants disent ne pas être des assistantes sociales – qu'ils soient un peu écoutés, que leurs souffrances psychologiques soient un tant soit peu prises en charge, pour éviter 90 % de ces grèves de la faim.

Évidemment, une prison n'est pas un hôpital psychiatrique, mais c'est parfois bien dommage.

III/Les pervers et la prison

Tous ces agresseurs pédophiles multirécidivistes qui sont condamnés à dix voire quinze ans de prison, et qui une fois sortis recommencent. Pourquoi à votre avis ?

On demande à l'administration pénitentiaire des choses impossibles et contradictoires, sans lui donner les moyens de réussir ses missions.

Ces pédophiles emprisonnés auraient besoin d'être suivis en permanence par un psychiatre, nonobstant le fait qu'une démarche volontaire de la part du patient est requise en pareil cas.

En prison, pour obtenir un rendez-vous avec un homme de l'art, il faut patienter en moyenne plus d'un mois. Obtenir des entretiens réguliers, c'est-à-dire au moins une fois par semaine, relève dans certains établissements de l'exploit.

Et même si un psychiatre s'investit à fond auprès de ces patients d'un autre type, aucune thérapeutique ne fonctionne. En prison les conditions ne sont pas réunies pour obtenir des résultats positifs dans ces cas précis nécessitant une logistique particulière, adaptée.

Résultat : pour les pédophiles et autres pointeurs meurtriers – nous le savons tous avant même qu'ils ne franchissent le seuil de la prison, les statistiques le démontrent malheureusement chaque année – la récidive est au bout du chemin.

J'ai même connu un détenu qui ne voulait plus sortir de peur de recommencer.

C'est en amont que les « professionnels » ne prennent pas leurs responsabilités.

En effet, au cours de l'instruction du dossier, un expert est désigné par le juge afin de déterminer si le sujet se trouvait en état de démence au moment des faits.

La perversité n'étant pas répertoriée dans la grille (nomenclature) des maladies psychiatriques, ces garçons pourtant dangereux pour la société, et dont l'état nécessiterait des soins urgents, constants, en des lieux adaptés où ils ne pourraient plus nuire à la société, sont déclarés aptes pour une sanction pénale. L'on pare ainsi au plus pressé. On se débarrasse momentanément du problème que l'on se garde de traiter en profondeur. Peu importe les victimes à venir des récidives plus que probables.

En fait, la médecine ne parvenant pas à des résultats bien positifs avec ces malades spécifiques – elle ne sait pas les traiter, si l'on entend par là les mener à la guérison, venir à bout de leurs maux – un choix clair, quasi systématique, prévaut, devient l'usage : celui de la prison. Cela permet de ne pas embouteiller les hôpitaux des « hommes médecines », lesquels n'entendent surtout pas endosser la casaque de responsables de la récidive, de l'échec.

Un médecin, un psychiatre, ne se trompe pas, qu'on se le dise. Il est donc préférable de refiler le bébé à la pénitentiaire qui noiera dans la masse cette population qui dérange et la relâchera dans la nature sitôt les peines purgées, de préférence le plus tôt possible. Pas de bruit, pas de vague, et tant pis pour le devoir envers la société de réinsertion réussie, y compris sur le plan de la santé mentale.

Que cette population dérangeante soit maltraitée par les autres détenus au cours des promenades ou dans les douches, qu'elle soit victime de brimades en tous genres, n'excluant pas des dérapages sévères, n'a que peu d'importance. Les autres détenus dans leur grande majorité considèrent qu'elle est constituée de sous-hommes, ce que pensent aussi d'eux, et des prisonniers en général, un grand nombre de leurs geôliers.

IV/Les toxicomanes et la prison

Les actions de lutte contre les toxicomanies[1]. Officiellement, le paysage pénitentiaire français compte seize centres spécialisés de soins aux toxicomanes.

Des conventions départementales d'objectifs (CDO) sont passées depuis 1993 entre préfets et procureurs de la République pour améliorer la prise en charge sociale et sanitaire des toxicomanes détenus et relevant de la justice. D'abord déployé dans les quinze départements estampillés prioritaires pour la politique de la Ville, ce dispositif a été étendu à l'ensemble des départements dans le cadre du plan triennal du Gouvernement de lutte contre la drogue et de prévention des dépendances (1999-2001).

C'est ainsi que l'an dernier, quatre-vingt-trois départements pouvaient s'appuyer sur une CDO dont soixante-treize en milieu pénitentiaire ; deux cent vingt-deux structures étaient financées, dont quatre-vingt-deux centres spécialisés de soins aux toxicomanes,

1. Source : ministère de la Justice : Les chiffres clés de l'administration pénitentiaire.

cinquante-neuf structures de soins aux toxicomanies d'alcool, vingt-cinq structures d'hébergement et centres d'hébergement et de réinsertion sociale.

Malheureusement, malgré ces données officielles qui peuvent rassurer, la réalité quotidienne est accablante, mortifère, et il convient de tirer la sonnette d'alarme. Si la prison n'est pas le lieu où soigner les détenus que nous venons d'évoquer (les pervers), elle n'est pas non plus adaptée aux soins à apporter aux toxicomanes, qui n'y sont traités qu'à coups de sevrage brutal, ne rêvant que de leur sortie afin de pouvoir s'en remettre deux fois plus dans les veines. De nombreuses overdoses sont constatées dans les jours qui suivent la sortie.

Oui, moi, François Sammut, je défends aussi les miens, cela m'arrive. Je pense sincèrement avoir raison. Dans ces deux cas d'espèce, on demande à un personnel incompétent, car non formé pour cela, de soigner tous les maux que la société engendre et qu'elle n'est pas capable de prendre en charge. Tout le système est à revoir. Rien n'est impossible. Seulement voilà : il y faut une volonté politique de réforme structurelle en profondeur. Une volonté de mettre enfin à la disposition de ce système (judiciaire, pénitentiaire, médical...) les moyens nécessaires, humains et financiers. Cela permettrait sans doute, entre autres choses, d'éviter que les détenus ne se suicident.

Je me souviens de la voix de Julian, sourde, à peine audible, dont il peinait à se servir tant l'émotion l'étreignait encore au lendemain de la mort volontaire de Richard.

« Depuis quelques jours Richard n'allait pas très fort. Même Momo avait renoncé à abuser de lui. Richard ne mangeait plus. Il était passé de pas beaucoup à plus du tout. Il n'avait pas reçu de lettres cela faisait au moins trois semaines, mais il lui arrivait de n'en pas recevoir durant deux, voire trois mois. Et il tenait le choc, plaisantant même à ce sujet. *Moi je suis libre comme l'air. Vous, vous ne pouvez pas en dire autant. Libre j'vous dis ! Pas d'attaches, pas d'emmerdes, ni vu ni connu que j't'embrouille ! Vous, tous autant que vous êtes, vous voilà lestés. Boulets aux pieds et compagnie. J'partirai de c'te taule un jour, sans remords. J'me ferai la belle. J'peux. Personne n'en souffrira dehors si j'me fais pincer. Toi l'intello, tu peux pas en dire autant. Toi et les autres vous v'là mar-*

rons. J'étais l'un des seuls, peut-être le seul, avec lequel il s'autorisait cette liberté de rapport. Ces derniers temps il se plaignait beaucoup : il ne voyait pas venir la date de son jugement et son avocat commis d'office ne l'avait visité qu'une seule fois en quatre mois. Alors il traînait en silence sa grande carcasse fatiguée en promenade. Ça ne gênait personne, car en temps normal, il ne parlait déjà pas beaucoup, et puis, il n'y a pas plus égoïste qu'un détenu. Il faut sauver sa peau. On n'a pas le temps de s'occuper des autres. Les jours passent, à l'ordinaire, et rien ne vient. Moral en berne, chaque prisonnier est seul au monde de ce point de vue. Et celui de Richard déclinait. Il s'était emmuré dans le silence de la télévision, les yeux rivés sur le petit écran. Depuis quelques jours, il semblait ne plus rien attendre de personne, et puis la nuit dernière, vers 2 heures du matin, Momo m'a réveillé en sursaut. Je dormais profondément pour une fois. J'ai eu du mal à émerger, mais Momo me secouait tant qu'il pouvait, le visage défait. Mon attention s'est portée dans la direction qu'il m'indiquait. J'ai d'abord vu une ombre qui se détachait au-dessus de la cuvette des chiottes, avant de comprendre que Richard s'était pendu avec un lacet. Il était monté sur une de ces maudites caisses à clou et avait fait basculer l'édifice. Il pendait là, dans la pénombre, les yeux mi-clos et les traits figés par la violence de l'étouffement. Il ne bougeait pas. Il était tranquille. Avant que Momo ne se réveille et ne le découvre, la mort qu'il s'était donnée avait eu raison de lui. Vous savez ce que nous avons fait Momo et moi, monsieur François ? Nous l'avons décroché et tant pis pour le règlement ! Nous l'avons décroché et nous l'avons allongé sur le lit. Et vous ne me croirez pas, Momo s'est mis à prier, à prier pour Richard jusqu'au petit matin. Il devait être un peu plus de 6 heures quand nous nous sommes décidés à faire savoir que Richard était mort. Nous aurions aimé le garder un peu plus avec nous. Avertir, c'était le livrer, le trahir. Du moins c'est ainsi que nous voyions la chose ce matin.

« Ils sont venus le chercher. L'enfermement, la prison, Richard est loin de tout ça maintenant. Je m'en veux, monsieur François. Je m'en veux. Coincé dans mon histoire, empêtré dans mes problèmes, je n'ai pas su voir, pas su prévoir. Pas su, bordel ! »

Avec plus de 120 suicides l'an dernier (121 au cours du premier semestre 2000, les chiffres annuels ne nous ont pas

été communiqués) la France est le pays d'Europe où l'on se suicide le plus en prison.

Plus d'un suicide – au moins – tous les deux jours dans les prisons, et nous ne prenons pas là en compte les tentatives de suicides, pour une population carcérale d'environ 48 000 détenus fin 2001, c'est énorme !

La fonction d'élimination de la prison dont parle Michel Foucault dans son livre *Surveiller et punir* prend ici tout son sens...

Chaque suicide de détenu est un échec pour la pénitentiaire. La preuve indélébile que nous avons failli à nos missions. Il n'y a pas de quoi s'en réjouir et se voiler la face derrière des jugements de circonstance que nous devrions nous interdire du type « après tout il l'a bien cherché, il n'a pas supporté le poids de sa faute, nous n'y sommes pour rien. Nous ne sommes tout de même pas responsables des actes qu'il a commis... » Car à quoi sert d'avoir aboli la peine de mort, si nos prisons conduisent les détenus à se l'infliger eux-mêmes ? De quelle utilité sont les prisons, si nous en faisons des machines à tuer, si elles conduisent hommes et femmes à s'y donner la mort plutôt que de choisir de continuer à vivre autrement, d'en sortir pour n'y plus revenir, d'opter pour la légalité ?

Chapitre X

La vie sexuelle en milieu carcéral

Certains surveillants sont homosexuels. Ils ne s'en cachent pas, ne le portent pas non plus en bandoulière. Ils assument leur condition. Elle les rend atypiques dans l'univers professionnel masculin qui est le leur. Un univers où la virilité s'évalue (se mesure) pour une partie des prisonniers au nombre de cadavres qu'ils ont laissés derrière eux, de coups de poing reçus, donnés, de braquages en tout genre effectués, de personnes humiliées, réduites, matées...

Les détenus sont ainsi. Lorsqu'ils arrivent en prison, ils montrent leurs muscles et leurs derniers tatouages. À les entendre, des dizaines de « filles » (« gonzesses », « meufs », « nanas », « pépées »... c'est selon), les attendent, les attendront à la sortie. Toutes folles de leurs corps.

Les surveillants ne dérogent pas à cet état d'esprit du milieu ambiant. Ils doivent souvent montrer et faire étalage de leur force physique pour s'imposer face à la violence quotidienne des détenus. Quelques-uns d'entre eux dérapent. Des moutons noirs il y en a aussi dans leurs rangs : des volontaires de la bavure même, jamais en retard d'une connerie !

En région parisienne où la communauté homosexuelle vit en réseau, il est fréquent que les surveillants homosexuels retrouvent aux étages des établissements pénitentiaires dont ils ont la charge des détenus pédés rencontrés dans une autre vie. Et il y en a. Une belle palette, du braqueur au trafiquant de drogue, en passant par le détenu fiché au grand banditisme. Les plus durs ne sont pas les plus moches, véritables gueules d'anges dans leurs perfectos, jolis culs beaux bras !

Une fois passée la surprise *maîtrisée* de la rencontre – on sait se protéger, n'est-ce pas ? – on se mate, on ne se dit rien, on ne dit rien. Un pacte tacite est scellé là en quelques secondes, dans un jeu de regards déchiffrables par les seuls intéressés. Les autres, les hétéros, n'y verront que du feu. Les homosexuels ont toujours les mêmes réflexes, qu'ils soient hors les hauts murs ou à l'intérieur. Vieille habitude de survie et d'autodéfense d'une minorité persécutée et montrée du doigt depuis des lustres. Le silence protège, mais l'on se reconnaît, on se sait entre soi. Cela peut servir... Cette règle du silence et du secret est toujours respectée.

Bien sûr, il ne reste souvent de ces rencontres (nocturnes la plupart du temps, quand le service vous l'a permis) que de vagues souvenirs, des impressions furtives. On craint de se tromper. On essaye de se rappeler (où déjà : Mic-Man ? Arène ? Trap ? QG ? Mec-Zone, l'ex-Subway avec sa table de billard qui en a vu défiler des queues de mecs ?). Parfois ce fut quand même le grand soir. *Sexual paradisio !* dans les backrooms à désir, à foutre, de la capitale.

Se retrouver à la pénitentiaire en face d'un mignon que l'on est chargé de surveiller, de garder, d'enfermer, drôle d'endroit pour une nouvelle rencontre ! Vertige, bizarrerie de la vie. Ce mec, vous lui avez défait la chemise, il vous a offert ses parfums intimes, la moiteur de ses baisers enfiévrés, la vigueur de ses jeux de mains. Ce mec devant lequel vous vous êtes agenouillé, avec sa manière crâneuse de se laisser faire, de se laisser caresser et happer.

Aujourd'hui, ici, en prison, les rôles sont en apparence inversés. Souvenirs brouillés, tournis, éblouissements. Interdiction formelle de repasser à l'acte. Alors parfois on fait avec ce qu'on a et tant pis si l'on vous jette la première pierre. Il reste tout de même la sacrée douche. La satanée douche de l'enfermement, de l'enfer qui ment. De cet enfer qui nous ment à tous. Vous avez ce pouvoir de lui faire don de supplémentaires tours de passages – tours de passes, tours de passe-passe – sous le jet rédempteur et vous vous laissez aller à franchir la ligne jaune. Impudique faiblesse. Ces cadeaux répétés vous permettent de pouvoir le reluquer encore, d'en profiter sous impunité fragile, de l'aimer autrement. De douches en douches vous le matez et le zieutez à nouveau : sa gueule, son corps, sa peau, ses mains, son cul, son sexe. Oui, sa queue malheureusement en disgrâce en ces lieux. Baisers volés, yeux de velours ou bien d'orage. *Love party, love me tender*, beau cul, belle gueule a besoin de s'évader de sa carcérale solitude, alors à deux à trois, à plus, lavons-nous dans les bois humides de la prison pendant que le loup n'y est pas et que le maton complice guette, se rince les mirettes voire plus si... actif-actif. Mauvais endroit finalement, pour une rencontre de pédés. Attention danger. L'ambiguïté règne ici en maîtresse...

Dans l'administration pénitentiaire, il y a maintenant des femmes qui travaillent dans les quartiers des hommes.

Elles sont aussi présentes au sein du personnel soignant ou socio-éducatif. Infirmières, doctoresses, kinésithérapeutes, psychologues, enseignantes, elles contribuent à humaniser les prisons.

Ces femmes, inévitablement – quoi de plus normal –, sont souvent l'objet des fantasmes les plus fous.

L'une des douleurs les plus insupportables des détenus, jusqu'à la déréliction, la folie et la mort, n'est-elle pas engendrée par un manque chronique de relations sexuelles ?

Les violeurs, les pères incestueux ou les pédophiles sont mis la plupart du temps à l'isolement, seuls dans leur cellule. Ce qui leur sauve la vie, tant est tenace l'animosité de leurs codétenus. Ils ne descendent pas en promenade et font très attention à tout changement survenant dans l'organisation de leur vie quotidienne. Leur sécurité en dépend et ils le savent. Une sorte d'instinct fiévreux de survie les anime en permanence.

En règle générale, ils ne confient jamais les vraies raisons de leur incarcération et inventent n'importe quel chef d'inculpation pour ne pas avoir à apparaître sous leur vrai visage.

Ils n'ignorent pas que si par malheur la vérité finissait par se savoir – et cela arrive – ils seraient aussitôt mis en quarantaine, frappés et humiliés par les autres détenus. Parfois même tués...

Les surveillants aussi abhorrent ces prisonniers d'un type si particulier, désignés très souvent dans le milieu sous le patronyme de *pointeurs*. Certains n'hésitent d'ailleurs pas à vendre la mèche pour les livrer à la vindicte de la population carcérale.

La misère sexuelle est l'état le plus et le mieux partagé par les détenus. Afin d'en atténuer les effets, quelques-uns d'entre eux ont même été jusqu'à affirmer qu'à la maison d'arrêt de la Santé, une chaîne de télévision interne ne diffusant que des films à caractère pornographique fut inaugurée il y a quelques années. Ce qui, selon eux, aurait provoqué des réactions acides de la part de certains observateurs. L'administration pénitentiaire aurait donc pensé que la masturbation pouvait remplacer la relation charnelle ? C'est tellement agréable et gratifiant de se palucher en chœur, à trois dans une cellule, devant Laure Saint-Clair ou une autre si illustre nymphette !

Momo, le « co-turne[1] » tyrannique de Julian, plus chanceux, peut s'y prendre différemment. Il donne régulièrement rendez-vous à sa copine au parloir.

Elle s'y rend dans un petit haut très décolleté d'où jaillit une belle paire de seins ronds et fermes, en porte-jarretelles et en bas résille, sans sa petite culotte, conformément à la demande expresse de son homme.

Ils se retrouvent ainsi une fois par semaine pendant une demi-heure au cours de laquelle il se masturbe devant elle comme dans un peep-show.

Parfois même, lorsque les matons acceptent de fermer les yeux (!), non sans contrepartie sonnante et trébuchante, elle le gratifie d'une fellation.

Les surveillants se postent alors discrètement à l'entrée du parloir et ne perdent pas une miette du spectacle de cette bouche active qui très scrupuleusement se met au travail.

C'est cela l'amour en prison : misère sexuelle, désarroi, voyeurisme, prostitution.

Les rumeurs les plus folles courent les établissements pénitentiaires parce que les longues peines, ainsi qu'on les nomme, ont tous besoin à un moment ou à un autre d'un peu d'affection, même si celle-ci n'est que factice, circonstancielle.

Nombre d'entre elles sont devenues des homosexuelles derrière les barreaux, parce que confrontées à un tel dénuement affectif, elles se sont résolues à trouver chaleur, compassion, activités sexuelles, autour d'elles, faute d'en pouvoir chercher ailleurs. L'autre devenant ainsi désirable faute de mieux, faute d'autre chose. Une nécessité pour ne pas sombrer, pour éviter que la digue ne cède tout à fait.

---

1. Co-turne : codétenu.

Par malheur, toutes ces relations ne sont pas envisagées et vécues sous le signe d'un angélisme romantique. Quand elles ne contribuent pas à les renforcer, elles entraînent souvent la mise en place de trafics apparentés à de vrais réseaux de prostitution, avec la complicité de surveillants qui touchent une commission en numéraire et pour quelques-uns en nature. Ces ripoux se paient plus souvent qu'à leur tour sur la bête.

En détention par exemple, mais aussi dans maints autres établissements, tous les jeunes arrivants sont signalés aux chefs de réseaux qui dans leurs cellules ou ailleurs s'arrangent pour faire comprendre à ceux qu'ils ont choisis, après un travail efficace et persuasif de leurs rabatteurs, que désormais, ils devront travailler pour eux.

Ensuite, ils sont lancés sur le marché après avoir pour la plupart été violés et rossés à plusieurs reprises, persuasion (dressage) oblige. Histoire aussi de les familiariser avec ce qui les attend.

Lorsqu'ils sont jugés mûrs, aptes à exercer les fonctions sexuelles qui leur sont maintenant assignées, ils sont envoyés dans les cellules où leurs services sont requis. Souvent, ce sont des surveillants qui se chargent des transferts.

Ces activités sont aussi anciennes que le monde. Il s'agit ni plus ni moins que de prostitution.

Personne n'en parle. JAMAIS. Nul n'en ignore, pourtant. Chacun préfère jeter un voile pudique sur ces faits avérés. Des hommes prostituant d'autres hommes – jeunes de préférence – dans les prisons françaises, avec la bénédiction de l'administration dont certains employés soudoyés profitent, quand ils ne sont pas eux-mêmes au premier rang des racketteurs. Vous n'y pensez pas !

Tout se sait malgré tout en la matière. Mille exemples pourraient être donnés.

Un seul suffira ici.

À la maison centrale de Poissy – qu'il vient récemment de réintégrer après en avoir été transféré à la suite d'une plainte pour viol de l'un de ses codétenus – un condamné tristement célèbre, complice d'un non moins médiatisé assassin de dames âgées, « travaille » à son compte.

Dans la pénombre de la salle des spectacles, donneur et receveur, il administre des fellations calibrées et des sodomies sur mesure pour un tarif très avantageux à des compagnons de galère très amateurs de « grosses queues ».

Dans cet établissement de Poissy, une drôle d'affaire de caïdat a agité pendant quelques mois le Landerneau pénitentiaire. L'actuel directeur de cette centrale ayant hérité d'un détenu transféré disciplinaire n'aurait pas hésité à passer un deal du troisième type avec lui. *Vous me tenez la détention, vous me renseignez sur ce qui s'y passe, vous matez les meneurs, et en contrepartie, avant que vous ne passiez devant le juge d'application des peines et le procureur, je soustrais de votre dossier les mauvais rapports de discipline dont vous avez été l'objet. Ainsi, ils n'auront pas de mauvaises incidences sur votre avenir pénitentiaire. Je ne les y remettrais qu'après.* Malheureusement pour ce directeur, l'une de ses directrices aurait découvert les documents en question tout à fait par hasard dans son coffre. Cette affaire a fait l'objet d'un rapport...

Chez les femmes, à la prison de Fleury-Mérogis et à la centrale de Rennes, les pratiques sexuelles sont les mêmes que chez les hommes, bien que plus discrètes. Elles évoluent dans un comparable état de précarité affective.

Travestis et transexuelles, lorsqu'ils ne sont pas mis à l'isolement, vivent également l'enfer. Objets de désir, de frustration et de répulsion, ce sont souvent des prostitués de métier. Leur intégrité physique n'a donc que peu d'importance pour les autres détenus. Ils estiment pouvoir user à volonté de leurs corps qui devraient de surcroît exulter à chaque sollicitation et se méprisent souvent, après, d'être passés à l'acte. D'où les mauvais traitements qu'ils leurs infligent.

Nous voilà bien loin de l'installation de parloirs d'amour dont bruissent les couloirs du ministère de la Justice ou les médias.

Quelques surveillants ne souhaitent peut-être pas entendre que cela permettrait de rendre la prison moins violente à défaut d'être plus humaine. Équiper les établissements de postes de télévision y a déjà un peu contribué.

Les syndicats des personnels pénitentiaires – dans leur grande majorité – n'en veulent pas, au motif que ces parloirs donneraient une image dégradante de l'institution et que surveiller les ébats amoureux des couples ainsi réunis ne rentrerait pas dans leurs attributions.

Estiment-ils qu'il est moins déshonorant de fermer les yeux, donc de se faire complices de pratiques de prostitution ou de quasi-prostitution en milieu carcéral ?

Faut-il jeter un voile pudique sur des activités que d'aucuns peuvent alors estimer avoir toutes les apparences d'une prostitution administrative, une prostitution d'État ?

Préfèrent-ils – ces syndicats – continuer à se voiler la face et feindre d'ignorer les errements de *certains* de leurs adhérents ou non adhérents, qui, pour quelques francs de plus, se rendent complices des agissements de *certains* détenus ?

I/La solution hollandaise

En Hollande, tous les mois, chaque détenu a le droit de passer un week-end avec sa famille dans une maison prévue à cet effet, à côté de la prison.

Ces deux jours passés avec les leurs donnent du courage aux prisonniers et contribuent sans doute à les resocialiser, à leur permettre de réfléchir à un projet de vie, à ne pas couper les ponts avec leur vie antérieure, avec l'extérieur, bref, à continuer d'exister.

Ils savent qu'ils ne doivent pas commettre d'impairs à l'intérieur des murs car, sinon, ils peuvent être interdits de visite, ce qui pénalise plus encore les épouses et les enfants.

Ils peuvent ainsi organiser leur retour à la vie « normale » sans se trouver démunis de leur structure familiale.

En France, environ 90 % des détenus qui vivent en couple au moment de leur incarcération sortent célibataires de la prison. Triste constat.

II/Le témoignage de Julian

De l'usage de la sexualité en milieu carcéral ! Sur le sujet, Julian aurait pu écrire un essai. Il faut avoir fait de la prison, disait-il à François, pour s'en faire une idée précise. L'imagination seule ne suffit pas.

À ce sujet, l'histoire de Joseph, le codétenu qui avait remplacé le pauvre Richard dans sa cellule était édifiante et il la lui raconta.

Joseph était entré en prison en même temps que sa concubine Laura pour une affaire de trafic international de voitures.

Ils fournissaient ensemble de fausses cartes grises aux voleurs d'autos afin qu'ils puissent les revendre sans souci.

Laura, au moment de leur interpellation, était enceinte de sept mois. Ce qui n'avait pas empêché le juge des libertés et de la détention de la placer sous mandat de dépôt alors qu'elle n'avait jamais été condamnée auparavant et bien que Joseph ait pris toutes les charges à son compte pour qu'elle soit mise hors de cause.

Qu'à cela ne tienne, elle séjournerait à la maison d'arrêt des femmes de Fleury-Mérogis. Ainsi en avait décidé le juge.

Ce serait assez bien pour elle là-bas : une vraie maternité avec une pouponnière unique en France.

Les deux mois fatidiques passèrent. Joseph, dans sa cellule, se rongeait les sangs. Julian le voyait macérer dans sa culpabilité. Laura accoucha enfin à la maternité de l'hôpital d'Évry.

Après quelques semaines sans autres nouvelles, le nouveau père reçut un courrier – bien sûr décacheté – de sa Laura.

Il la lut, puis blême me la tendit.

Mon amour,
J'espère que tu vas bien. Il y avait deux policiers postés devant la porte de la salle de travail au moment où j'ai accouché. Ils ont pu voir mes traits tirés par la douleur lorsque je suis entrée pour commencer le travail. Tu ne peux pas te rendre compte de l'effet que ça fait de voir ces têtes de flics alors que c'est toi que j'attendais.
Ils m'ont vu ressortir défaite par l'effort et la fatigue avec notre petit Léo dans les bras emmitouflés dans un drap. Ils m'ont escortée jusque dans ma chambre et se sont postés devant la porte. Même ma mère n'a pas pu serrer son petit-fils dans les bras.
Trois jours se sont passés et je suis revenue à la prison. J'ai été affectée à une cellule spéciale, seule avec un petit lit à barreau blanc et une table à langer.

Dans la journée, pour le moment, je reste en cellule et une surveillante affectée au service de puériculture vient m'aider à faire la toilette du matin et me donne les rations de lait pour le petit.
Elle repasse le soir aux alentours de 18 h 30 juste avant que la porte de la cellule ne se referme sur notre enfant et moi jusqu'au lendemain matin pour voir si tout va bien et me redonner les biberons pour la nuit.
Tu sais, quand je me retrouve seule dans l'obscurité et que dans la pénombre au bout de mon lit je vois ce petit berceau, une angoisse panique me prend et j'ai l'impression que je suis enfermée pour toujours entre ces quatre murs, que je n'en sortirai jamais.
Je regarde fixement la petite lucarne où derrière se profilent des barreaux de fer.
Je me dis aussi que Léo, notre Léo, n'a rien fait pour se retrouver là, qu'il n'a pas demandé à venir au monde, que nous sommes responsables de ce qui lui arrive. C'est dégueulasse de naître en prison, de passer les premiers jours de sa vie en taule. Cette vie emprisonnée pour un enfant, tu parles d'un cadeau de bienvenue ! En pensant à tout ça, seule dans mon lit, j'ai parfois envie de hurler, mais je serre les dents et je pleure doucement. Je veux pas le réveiller.
Après quelques jours seulement les journées m'ont paru moins longues et moins douloureuses dans la mesure où je me suis retrouvée à la pouponnière, une grande salle où sont réunies toutes les mamans qui ont un petit en détention.
Dans cette pouponnière, je n'ai plus l'impression d'être enfermée. C'est un univers à part. Un univers un peu plus humain où le personnel en blouse blanche n'a pas le visage des surveillantes austères de la prison et où nous pouvons discuter entre mamans.
Dans cette grande pièce pleine de tables à langer, de petites baignoires, de jouets, des tout petits bambins se bousculent et gambadent. Quelques-uns apprennent à

marcher, d'autres savent déjà, d'autres ne savent pas encore.
Tu te rends compte, il y a des mères qui sont en prison avec leur bébé depuis plus d'un an.
Il paraît que nous pouvons garder nos bébés avec nous jusqu'à ce qu'ils aient dix-huit mois.
Je me pose souvent la question de savoir si Léo ne serait pas plus heureux dehors, avec tes parents ou les miens, loin d'ici. Mais en même temps, je crois que je me serais suicidée, j'en aurais fini avec tout ça, si l'on m'avait séparée de lui après la maternité.
J'espère mon chéri que je serai bientôt libérée, parce que si je devais être détenue ici plus de dix-huit mois, et que personne ne veuille prendre Léo en charge, il serait placé à la DASS, puis dans une famille d'accueil. À moins que tes parents ? Parce que les miens...
Je crois que cette punition-là serait plus dure que toutes les condamnations que pourrait m'infliger un tribunal. Valérie, une copine ici qui en a pris pour cinq piges, me disait que les juges se foutent de savoir que Unetelle ou Unetelle élève son bébé en prison, un bébé qui est né en taule. Une mère en prison, un enfant à la DASS, il paraît que ça ne les touche pas. Pour eux, comme pour les surveillantes, nous ne sommes finalement que des numéros d'écrou.
Tu sais ce qui m'aide aussi à tenir, c'est que, ils ont beau faire, tous autant qu'ils sont, Léo, lui est libre. Léo, lui, n'est pas un détenu comme les autres. Et contre ça, ils ne peuvent rien. Ils peuvent me l'enlever, mais ils ne peuvent pas lui enlever sa liberté. Ils ne peuvent pas la lui voler.
Voilà. Tu me manques beaucoup. Tu nous manques beaucoup à Léo et à moi. Tu lui manques encore plus, je le sens bien.
Je t'embrasse tendrement mon Joseph. Tiens bon. Je fais l'amour avec toi tous les jours, dis-toi bien ça.
Ta Laura.

Parce que cette histoire l'avait ému, François suggéra à Julian de conseiller à son ami Joseph de se mettre en relation avec l'association Relais Enfants-Parents. Cette association, lui dit-il, s'occupe tout particulièrement de contribuer à restaurer (créer ou préserver) de nouveaux liens entre parents et enfants incarcérés ou *vice-versa*, ce qui se révèle souvent nécessaire, voire capital. Les responsables de cet organisme pourraient venir en aide et assister Laura et Joseph. Forte de son infrastructure de douze relais régionaux, quatre cents volontaires et cinquante professionnels, de ses permanences éducatives dans 20 % des établissements pénitentiaires, elle coordonne aussi deux mille cinq cents accompagnements d'enfants en détention chaque année.

La misère sexuelle des hommes et des femmes en détention, l'organisation souvent structurée de la prostitution, dont parfois les surveillants se rendent complices, les viols de détenus par d'autres codétenus et même par des surveillants très indélicats, l'exploitation sexuelle des travestis dans le quartier des hommes et celle des transsexuelles dans les quartiers des femmes, la masturbation quotidienne, et enfin la douleur d'être mère dans ces conditions, Julian avait découvert tout cela, au cours de son séjour en prison, et ne pouvait s'empêcher de confier ses angoisses à ce sujet à « monsieur François ».

Il vivait de l'intérieur ce que Jacques Lesage Delahayes, psychologue et ancien détenu, a baptisé *La Guillotine du sexe* dans un ouvrage désormais renommé : une déshumanisation méthodiquement orchestrée, moteur d'un système répressif qui ne cherche pas à transformer les détenus, à les réconcilier avec la société – en un mot ! à les humaniser –, mais à les réduire inexorablement, pour les empêcher de nuire. À la réinsertion, ce système en vigueur préfère et privilégie la punition et uniquement la punition. **Surveiller et punir ! Nous en sommes tous responsables.** La société génère ces détenus. Elle doit certes s'en prémunir, aux fins de sa protection, mais elle doit aussi essayer de les transformer, de leur venir en aide, sous peine de s'en montrer complice. La loi du talion n'est pas une enfant de la démocratie et encore moins d'un pays républicain dit des droits de l'homme.

Nous nous honorerions si nous parvenions à ce que soient ajoutées quelques lignes de plus à la Convention européenne des droits de l'homme, spécifiant que si tout être humain a droit à l'intimité de sa vie privée, il devrait aussi avoir droit en toute circonstance et en tout lieu à une intimité amoureuse.

La France s'honorerait en s'inspirant du modèle hollandais pour humaniser un peu le milieu carcéral.

Chapitre XI

Les parloirs-famille et les trafics en tous genres

Les mois passaient, jours après jours, et le temps s'écoulait, interminable et transparent.

Une angoisse sourde et tenace ne lâchait plus Julian. Après plusieurs mois d'instruction et une reconstitution qui n'avait pas donné les résultats escomptés, il avait de plus en plus l'impression qu'il ne sortirait pas de prison avant la tenue de son procès devant la cour d'assises.

Ses longues discussions à bâtons rompus avec François lui apportaient un peu d'air frais. Cela lui permettait d'intellectualiser son vécu quotidien et de prendre un peu de recul avec ce qu'il vivait si malaisément. Cependant, parfois, ces échanges aussi lui paraissaient bien vains.

François, ce monsieur François, n'avait pas son pareil pour lui apporter la contradiction, ce qui le regonflait à bloc. Mais un je-ne-sais-quoi dans son attitude le confortait dans l'opinion qu'il ne se retrouverait pas à l'air libre avant longtemps.

Une fois même, François lui avait dit sur le ton de la boutade que finalement, il se pourrait bien qu'ils soient « libérés » en même temps, puisqu'il lui restait encore trois ans « à tirer » avant son départ à la retraite. Julian avait souri jaune, sans enthousiasme. Il ne se voyait pas se « ratatiner » trois ans derrière les barreaux. Plutôt crever comme Richard !

Le seul vrai rayon de soleil de Julian, c'était l'heure du parloir-famille, trois fois par semaine, où son père venait seul ou en compagnie de sa mère ou d'un ami. Une visite de trente minutes.

Julian savait à l'avance le jour et l'heure. Le rite toutes les semaines était immuable. Son père téléphonait à la maison d'arrêt – le rendez-vous était pris –, et le vieil homme âgé de soixante-quinze ans arrivait à la Santé après un périple en RER et en bus.

Sa nature ponctuelle trouvait là une utile destination. Arriver à l'heure signifiait qu'après avoir été fouillé et orienté vers les parloirs, la visite durerait bien une demi-heure. En cas de retard, la visite est purement et simplement annulée, interdite. Dans certaines prisons, et à la maison d'arrêt Paris-la Santé tout particulièrement, aucun lieu n'a été prévu pour que les familles puissent s'y mettre à l'abri en cas de pluie ou de grand froid l'hiver. Il n'est donc pas rare que des membres d'associations telles que la Croix-Rouge proposent des boissons chaudes (cafés, etc.) aux familles qui battent la semelle devant l'entrée des prisons. Si l'on ajoute à cela le fait que les surveillants affectés aux parloirs-famille ne font pas toujours preuve de l'acuité et de la souplesse psychologique que requièrent de telles fonctions, l'on aura une idée plus juste de la situation.

François avait un jour raconté à Julian qu'une vingtaine d'années auparavant, les parloirs libres n'existaient pas. Une baie vitrée séparait le détenu de ses visiteurs, au milieu de laquelle on avait percé des trous en guise d'Hygiaphone. Ce type de parloirs a encore cours à Fresnes, par exemple, dans les quartiers d'isolement ou disciplinaires.

Dans ces parloirs à l'ancienne, une femme ne peut pas embrasser son mari et le détenu ne peut pas prendre ses enfants dans ses bras. Aucun contact physique n'est possible. Frustration, souffrance sont à l'ordre du jour.

Laurent Mesrine par exemple, n'ayant pas connu Jacques, son célèbre père dans sa prime enfance, n'a pu par la suite communiquer avec lui que par le truchement de cette vitre impersonnelle. Le jeune adolescent qu'il était s'est trouvé ainsi empêché de tout contact physique avec ce père hors normes, tué par l'équipe du commissaire Broussard. Cela aussi, François le raconta à Julian. Il lui apprit également que dans plusieurs maisons d'arrêt et centres de détention, les parloirs-famille peuvent être de grandes pièces aménagées en boxes sans séparation où pour parler et se faire entendre il importe de gueuler plus fort que le voisin. Outre les rondes constantes de surveillants, l'intimité n'est pas vraiment respectée dans cette ambiance de brouhaha général.

De nos jours, afin de contribuer autant que faire se peut à la préservation des familles des détenus, à la maintenance de leurs liens familiaux, cent dix structures d'accueil fonctionnaient en 2000 (cent en 1999) près des établissements, ainsi que tout comme, en 1999, vingt-cinq structures d'hébergement pour les familles ayant un long déplacement à effectuer pour visiter leur proche, et cinquante-cinq salles d'attente dans les murs – nettement insuffisant ! Ce manque de structures est à l'origine de nombreux drames (suicides, tentatives d'évasion, divorces, etc.).

Aujourd'hui en règle générale, un parloir-famille type, c'est une pièce de 5 m^2 pourvue d'une table et de deux ou trois chaises.

Julian en cas de visite est appelé comme tous les autres détenus et descend au parloir. Dans tous les établissements pénitentiaires de France, une palpation est organisée avant la visite et une fouille à corps après.

Momo, son copain de cellule, refuse systématiquement d'être « foutu » à poil, de s'accroupir et de tousser, si le surveillant fait du zèle pour soi-disant vérifier que son anus ne recèle pas un objet qu'il aurait pu y dissimuler. À chaque fois, il écope d'un rapport. Le surveillant rédige un procès-verbal dans lequel il relate cette grave infraction et l'intraitable Momo se voit infliger huit jours de mitard en règle générale.

Il faut le comprendre Momo, précisa Julian à François quand celui-ci lui rétorqua que les règlements sont faits pour être respectés, sa copine ainsi que ses deux enfants avaient dû attendre trois mois pour obtenir un permis de visite. Et pourquoi ? Parce qu'à Paris il avait eu affaire à un juge d'instruction du troisième type, très connu. Une femme dont la haine des hommes est telle que son seul mot d'ordre est la répression.

Elle encourage donc les juges des libertés et de la détention à placer sous mandat de dépôt et refuse systématiquement, car cela est de son ressort, de délivrer les permis de visite.

Le Code de procédure pénale prévoit bien que si au bout d'un mois le juge n'a pas délivré de permis de visite, la famille ou les amis peuvent déposer une demande officielle et écrite entre les mains du magistrat.

Si dans le mois qui suit, le juge d'instruction refuse de délivrer le permis ou ne répond pas à la requête, alors il est possible de saisir la chambre de l'instruction afin d'obtenir gain de cause.

À ce stade-là, deux mois ont déjà été perdus et le détenu ainsi isolé subit un chantage encore plus pervers à la détention. N'est-ce pas, n'était-ce pas inadmissible ?

François répliqua alors à Julian que parfois cette attitude des juges se justifiait. Certains détenus ne profitaient-ils pas de ce seul lien avec le monde extérieur – hormis leurs rendez-vous avec leurs avocats –, pour délivrer des messages à leurs complices éventuels ou pour en recevoir ? Parfois même pour préparer de l'intérieur d'autres mauvaises actions ou pour faire rentrer des substances illicites (des stupéfiants entre autres) en prison ?

Il lui rapporta cette incroyable histoire d'un détenu malade du sida, qui descendait régulièrement au parloir où sa mère l'attendait. Grâce à la bienveillance de quelques surveillants, il descendait avec des petits sachets en plastique dans lesquels se trouvaient les médicaments qu'il devait prendre chaque jour dans le cadre de la trithérapie qui lui avait été prescrite.

Il agitait ces quatre ou cinq petits sachets sous le nez de sa pauvre mère et se livrait alors à un abominable chantage, en lui déclarant que tant qu'elle ne lui apporterait pas à ce parloir quelques grammes de shit il ne suivrait plus son traitement.

Cette dame respectable de soixante-cinq ans, une pharmacienne, vivait un tel drame, et éprouvait un tel sentiment de culpabilité, qu'elle n'hésita pas longtemps et se mit à sillonner les cités de banlieue dans lesquelles d'ailleurs il lui arriva de se perdre, afin de pouvoir acheter le shit dont son fils avait besoin.

Difficile à imaginer n'est-ce pas ? C'est pourtant ce qu'elle fit. Plus extravagant encore, elle alla jusqu'à emballer cette drogue dans du papier, puis dans un préservatif, avant de la placer délicatement dans son vagin. Et la peur au ventre, elle effectua sa visite hebdomadaire et remit à son fils le prétendu précieux paquet, parce qu'elle ne voulait pas qu'il meure.

Manque de chance, ce jour-là, des policiers assistés de leurs chiens renifleurs, participèrent à la fouille.

La drogue fut découverte et la pharmacienne immédiatement interdite de parloir. Son humiliation ne s'arrêta pas là. Elle fut citée à comparaître devant le tribunal correctionnel pour acquisition et transport de produits stupéfiants. Elle dut expliquer dans une salle d'audience surchauffée par un public agité qu'elle avait préféré apporter de la drogue à son fils, plutôt que de le voir mourir du sida parce qu'elle ne l'aurait pas fait.

La sanction tomba, la pharmacienne fut condamnée à cinq mille francs d'amende à cause de son fils, un homme au cœur malfamé. Une sanction qui aurait pu être plus lourde si cette apothicaire très maternelle n'avait bénéficié de l'excellent travail – sa modestie dût-elle en souffrir – de Pierre L., son avocat.

Un cas exemplaire...

Bien sûr, il est vrai aussi, admettait François, que souvent à Fresnes, à la Santé, dans divers autres établissements, les familles en visite sont traitées tel du bétail, alignées les unes derrière les autres dans de grandes salles vides, et attendent leur tour en subissant les avanies et les manières dégradantes du personnel pénitentiaire, qui bien souvent fait preuve là d'un coupable excès de zèle.

Un personnel qui abuse de son pouvoir contre les familles avec d'autant plus d'impunité, qu'il ne se trouve jamais confronté à elles en d'autres occasions, il n'a donc rien à craindre.

François ne put qu'admettre avoir entendu dire ce que Julian ajouta. À savoir que les relations entre surveillants et familles pouvaient aussi être encore plus ambiguës. Des surveillants n'hésitant pas, contre espèces sonnantes et trébuchantes, à servir de courroie de transmission entre ces familles et les détenus. Des exemples, Julian lui en donna. Notamment celui du non-respect des quotas fixés pour les colis de Noël, parfois largement dépassés par certains détenus qui parviennent à faire entrer en détention des dizaines de kilos de nourriture, en faisant des « cadeaux » aux surveillants afin qu'ils ferment les yeux.

François et Julian savaient aussi, ils en convinrent, que la « défonce » en prison n'avait rien d'exceptionnel et que des surveillants peu scrupuleux écoulaient les substances stupéfiantes dont certains détenus avaient besoin contre une commission rondelette.

Tout le monde le savait. Tout le monde le sait. Toute la hiérarchie de l'administration pénitentiaire, de tous les établissements carcéraux de France. Nul n'en ignore. Personne ne dit rien, parce que comme la télévision, la « came » a un pouvoir calmant sur la population pénale.

Les directions carcérales préfèrent avoir à *gérer* des détenus défoncés, mais qui ne feront pas d'histoires, plutôt que des détenus sains, capables de fomenter des émeutes.

François confia d'ailleurs à Julian qu'à la maison d'arrêt de la Santé, un surveillant, ainsi qu'un moniteur de sport, pour la modique somme de dix mille francs, passaient aux détenus, dans leurs cellules, des téléphones mobiles. Ces emprisonnés pouvaient ainsi continuer leur business en détention. Ces mobiles sont des téléphones à entrée libre que l'on peut recharger à l'aide de cartes. Trois mille cinq cents francs, tel est le prix que demandent ces surveillants pour fournir l'une de ces cartes d'unités du bonheur.

Cela aussi la hiérarchie de l'administration pénitentiaire le savait et le sait. Ces trafics de téléphones n'ont pas seulement lieu à la Santé, mais aussi dans d'autres établissements pénitentiaires. Il pleut même parfois des téléphones dans les cours de prison où ils arrivent soigneusement dissimulés dans des balles de tennis…

Les fouilles générales de cellules lorsque les détenus sont en promenade amènent bien sûr parfois la découverte de quelques grammes de produits stupéfiants (herbe ou autre substance), d'objets contondants, de téléphones cellulaires, etc. Les coupables sont châtiés, bien souvent condamnés à une peine de trente à quarante-cinq jours de mitard, mais cela n'arrête pas pour autant les trafics. Pour cela, il faut une volonté de la haute administration pénitentiaire.

C'est ce que François expliqua à Julian. L'affaire de trafic de téléphones portables (évoquée plus haut) n'avait pu être mise en lumière, que parce que le directeur de la maison d'arrêt de la Santé s'y était résolu. Il voulait peut-être éradiquer la corruption au sein de son personnel, mais il se trouvait surtout dans l'obligation de répondre aux questions qui lui avaient été posées par des services de police habilités, qui s'étaient aperçus à la veille de l'Euro 2000, que des conversations téléphoniques avaient eu lieu entre de présumés terroristes algériens incarcérés dans sa maison d'arrêt et d'autres terroristes en Europe, afin de préparer des attentats contre l'équipe de France, dans des stades où devaient se dérouler certains matchs.

François considérait même que d'un point de vue général, une très mauvaise gestion des terroristes avait cours dans les prisons françaises. Selon lui, l'administration pénitentiaire leur laissait les coudées trop franches derrière les barreaux. Ils pouvaient participer à toutes les activités, sans restriction aucune, ce qui leur laissait le champ libre pour recruter et faire des émules. Il craignait que les prisons d'aujourd'hui ne soient le nid des terroristes de demain. Des largesses dont les détenus issus du grand banditisme bénéficieraient de moins en moins, puisque certains projets de réorganisation pénitentiaire prévoyaient de restreindre leur champ de communication... Et justement, en raison de cela, ce que voyait François le poussait à tirer la sonnette d'alarme. Les terroristes incarcérés à la Santé étaient de plus en plus courtisés par les membres du grand banditisme, sans que cela n'émeuve le moins du monde ni les syndicats ni les pénitentiaires. Les surveillants, qui pour la plupart ne remplissaient plus correctement leur fonction d'information et d'observation, ne notaient pas chaque jour ces faits capitaux dans leur cahier d'observation ainsi que cela leur était pourtant stipulé dans le Code pénal. Alors que selon lui, le problème de la sécurité dans la prison et hors des prisons était un problème de professionnalisme de ceux qui en avaient la charge dans la société. Un problème d'éthique, de solidarité et de travail en confiance. La dérive à laquelle il assistait impuissant le rongeait. Il serait pourtant si simple de mettre en place au sein de toutes les prisons un dispositif de partenariat entre la police, la justice, et le personnel pénitentiaire, en créant au ministère de la Justice une cellule spéciale de sécurité dans les prisons avec pour mission principale un suivi attentif et un encadrement des terroristes. Tenter de résoudre de tels problèmes de sécurité, n'était-ce pas finalement tenter de faire preuve d'un peu de finesse d'esprit, de bon sens, d'un peu de stratégie, bref de se livrer à une gestion pragmatique et efficace du terrain ? Ces terroristes, qui ont tout pour eux, l'argent et une logistique dont ne disposent pas les voyous. De quoi s'afficher comme les maîtres du temps et les séduire immanquablement ! Un prolongement évident de leur action de recrutement de la jeunesse dans les banlieues ou dans les cours de prisons. Oui, de quoi inquiéter vraiment…

Julian refusa presque de se laisser embarquer sur ce terrain par François. Bien sûr qu'il n'ignorait rien de tout cela. Mais ce qui lui importait, c'était toute cette détresse de ses camarades détenus et de leurs familles obligées d'en passer, aux parloirs-famille, par moult frustrations et vexations pour se dire leur amour et se donner le courage de continuer à vivre les uns sans les autres.

François, nerveux, se leva et les deux mains appuyées sur la table qui le séparait de Julian, les yeux dans les siens, se pencha vers lui et laissa tomber avec conviction : « À me trouver pris entre le marteau et l'enclume, il m'arrive parfois de ne plus savoir où donner de la tête. Comment dans ces conditions séparer le bon grain de l'ivraie ! Je sais cependant une chose. Les discours ministériels sur la question se suivent et se ressemblent. Ceux des commissions parlementaires aussi. C'est démagogie et compagnie. Même lorsque leurs représentants se déplacent dans les locaux. Ils s'y prennent de telle manière, qu'ils ne voient rien ou que l'on s'arrange pour qu'ils ne voient rien, au prétexte que, finalement, une espèce d'équilibre fragile a été trouvé et que tout ne va pas si mal que ça. »

Chapitre XII

Les sanctions disciplinaires

C'était un après-midi semblable aux autres. Les heures s'étiraient lentement et Julian seul à sa table attendait qu'un bon samaritain vienne lui demander des conseils sur tel ou tel des livres qui approvisionnaient les rayonnages de la bibliothèque. Le comptable ne viendrait pas ce jour-là, pas plus que Marie-Thérèse, son accorte secrétaire, dont la présence, trois après-midi par semaine, enflammait les détenus. Marie-Thé faisait salle comble.

Lorsqu'il en avait assez de rester assis, il se levait péniblement et se dirigeait vers la porte de la bibliothèque.

Il espérait croiser un travailleur ou un surveillant sympathique avec lequel il pourrait discuter quelques minutes.

En ouvrant la porte de la bibliothèque, au bout de la coursive, une ombre, qui se détachait derrière les barreaux épais qui marquaient la séparation d'avec la grande allée centrale qui distribue les divisions, attira son attention.

Le voyant électrique passa au vert et l'ombre poussa péniblement la lourde porte.

L'homme, très visible maintenant, était petit et maigre. Son teint rougeaud, ses pommettes saillantes et sa silhouette décharnée – il n'avait plus que la peau sur les os – lui donnaient l'air d'un écorché. Il tenait son pantalon d'une main et de l'autre maintenait fermement son baluchon kaki fermé par une ficelle sale.

L'homme avançait le dos courbé, un air hagard sur le visage.

Julian mit quelques secondes à le reconnaître. C'était Momo. Un Momo méconnaissable qui revenait d'un long voyage, celui qui mène du prétoire au mitard, puis du mitard au retour en cellule.

Il ne se ressemblait plus. Il n'était plus personne. Ses yeux ne disaient plus rien, n'exprimaient plus rien. Le petit caïd arrogant s'était volatilisé.

Au fur et à mesure qu'il se rapprochait de Julian, ses forces le quittaient visiblement et il peinait de plus en plus à avancer.

Julian se précipita et le soutint le reste du trajet qui le menait jusqu'à leur cellule pour qu'il puisse enfin se reposer.

C'était la troisième fois qu'il revenait du mitard, du quartier disciplinaire, huit jours à chaque fois, toujours pour ces histoires de fouilles à corps qu'il refusait.

C'était sûrement la dernière, parce que, cet après-midi-là, son état était tel que Julian imaginait mal comment Momo pourrait une nouvelle fois affronter le mitard.

Le mitard, c'est la prison dans la prison. L'horreur absolue. Bien pire encore que les quartiers d'isolement où sont enfermés les DPS (détenus particulièrement surveillés) tels que Carlos. Actuellement, à la Santé, le quartier disciplinaire comprend treize cellules de type « mitard », deux cellules d'attente, une salle de soins et une salle de prétoire. Tandis que le quartier d'isolement est composé d'une dizaine de cellules et d'une salle d'activités (sports, etc.).

Ce type de répression – le mitard – ressemble à n'en pas douter, par son mode opératoire, à celui pratiqué dans certains pays dont la France et l'Union européenne condamnent les méthodes en arguant du fait qu'ils violent continûment les droits de l'homme et ne se montrent ainsi pas dignes de rentrer dans le giron de la Communauté économique européenne.

Le mitard, dans presque toutes les prisons de France, c'est une cellule d'environ 7 m^2 en béton et sans fenêtre, avec en prime entre la porte et le carré une grille fermée à double tour. En guise de lit, un matelas d'un centimètre d'épaisseur repose sur une dalle en béton. Les W-C sont à la turque et au mitard on ne se lave pas, on n'a pas besoin d'eau. Il n'y a pas de lavabo.

À la maison d'arrêt Paris-la Santé, l'on trouve dans cette cellule d'environ 7 m^2 un lit « fixé » selon l'expression consacrée, une table en béton fixée, un tabouret scellé, un lavabo, un W-C, une fenêtre équipée d'un verre opaque qui ne peut être actionnée que de l'extérieur par un surveillant et une porte en bois munie d'un petit sas et d'une grille. Les conditions, on le voit, y ont été un tout petit peu améliorées. Depuis peu – moins d'un an là encore –, il faut bien le savoir.

Un drap et une couverture – plus ou moins propres, changés à la saint-glinglin – sont les seules marques extérieures de confort. Parfois mités, parfois infestés de punaises, cafards et autres bestioles.

Pain et bouillon constituent l'unique menu du jour dans de nombreux mitards. À la Santé, sensible amélioration, même au mitard, l'on a droit, depuis moins d'un an, aux mêmes repas que les autres détenus qui ne cantinent pas.

Tout contact entre surveillants et détenus est banni et interdit durant les séjours au mitard. Cette solitude, cet isolement explique les coups de pieds répétés que donnent les prisonniers dans les portes, et les cris qu'ils poussent – leurs hurlements parfois –, lorsqu'ils se rendent compte que quelqu'un est de passage dans le quartier du mitard. Souvent parce qu'ils l'entendent ou qu'un rai de lumière est passé sous une porte.

Oui, en France, des hommes, des femmes, voire des mineurs, sont condamnés à passer quelquefois jusqu'à quarante-cinq jours dans cet enfer. Leur solitude y est forcée. Ils s'y trouvent contraints, n'ont pas droit aux activités le temps de purger leur peine de mitard, car ce mitard, c'est la prison dans la prison. Paradoxe, il arrive cependant régulièrement que quelques détenus, à bout de patience, ne supportant plus leurs compagnons de cellules fassent tout pour se retrouver seuls au mitard.

Pas de parloirs-famille évidemment durant cette douce villégiature. Seuls les avocats peuvent avoir un rendez-vous avec leurs clients pendant cette joyeuse période.

Julian avait appris au cours d'une promenade, qu'à la Santé, ce fameux quartier de la mort lente disposait de deux cellules. Une capitonnée, dont les murs sont rembourrés de mousse de manière à éviter que les détenus en dépression ne s'y fracassent la tête. L'autre, dite de « contention », au milieu de laquelle est installée une planche de bois d'où pendent de grosses ceintures de cuir qui permettent d'attacher solidement les détenus récalcitrants avant qu'une infirmière zélée ne les assagisse en leur administrant une piqûre calmante[1].

Le bibliothécaire savait que les séjours au mitard se décident au prétoire, un tribunal où siègent le directeur de l'établissement, un gradé, et le surveillant rédacteur du rapport qui incrimine le détenu.

Il n'ignorait pas non plus que, depuis le 1er janvier 2001, le prisonnier a droit à l'assistance d'un avocat.

C'est au nom d'un règlement intérieur différent d'une prison à l'autre, et de circulaires du ministère de la Justice, que ces hommes et ces femmes s'érigent en super-justiciers de la prison.

La décision rendue est susceptible de recours devant le directeur régional de l'administration pénitentiaire qui met un mois à rendre sa décision.

En cas de confirmation de la décision par le directeur régional, le prisonnier dispose de deux mois pour saisir le tribunal administratif au moyen d'un recours en excès de pouvoir.

Malheureusement, ces recours successifs ne sont pas suspensifs, ce qui veut dire que le détenu condamné devra effectuer sa peine de mitard même si ensuite la justice lui donne raison.

Julian, révolté, essayait de réconforter Momo. Il clamait son indignation et s'en allait répétant dans la cellule, en faisant les cent pas, que la Ligue des droits de l'homme, l'Observatoire international des prisons, la Fédération internationale des droits de l'homme et Amnisty international, plutôt que de s'insurger seulement contre les conditions de détention dans certains pays totalitaires, feraient mieux de dénoncer aussi dans les médias français cette parodie de justice immanente et inique exercée dans les prétoires des établissements pénitentiaires.

Durant plusieurs semaines, Momo se réveilla en se dressant brusquement et en hurlant au cœur de chaque nuit, trempé de sueur.

Il raconta à ses compagnons de cellule qu'un soir, tard peut-être, il n'aurait su dire à quelle heure puisque sa montre lui avait été enle-

---

1. Cette cellule de contention vient d'être détruite il y a quelques mois. De gros travaux de désenfumage et d'articulation des fenêtres de l'extérieur sont prévus... Un peu d'humanisation à porter au crédit des ministres successivement en exercice, Mmes Guigou et Lebranchu, et aux pressions de l'Union européenne.

vée, il s'était retrouvé nez à nez avec des petits yeux ronds et noirs et un museau pointu laissant apparaître de fines moustaches très effilées. Un rat. Un gros rat poisseux et sale, apparu soudain et dont la présence l'avait tant surpris qu'il s'était mis à hurler. L'animal s'était éclipsé pour ne plus reparaître. Les jours suivants, Momo s'était au contraire pris à souhaiter que le mammifère rongeur reparaisse, tant la solitude lui pesait. Le rat avait dû lui rendre visite par les conduites d'égout et s'éclipser par la cuvette des chiottes à la turque.

Chapitre XIII

Épilogue

Ce n'est qu'au bout de deux longues années de prison que Julian sortit enfin de détention provisoire.

Aujourd'hui, il attend son procès qui devrait avoir lieu d'ici un an devant la cour d'assises de Paris.

Six mois de liberté n'ont pas suffi pour qu'il oublie le bruit des clefs. Il les entend toujours, où qu'il soit, et quel que soit le moment de la journée. Le son si particulier de ces sésames ouvrant sa cellule résonne, imprévisible, à ses oreilles. Chaque jour, il a encore du mal à réaliser qu'il ne se réveillera pas en prison.

Les cris des matons, leurs pas résonnant dans les couloirs quand ils s'approchaient de l'œilleton, les hurlements désespérés de certains détenus et le choc sourd des coups de pieds qu'ils balançaient dans les lourdes portes ne le quittent pas non plus.

Julian n'est plus le même. C'est un homme différent qui est sorti de la Santé. Un homme décalé, un homme en marge. Toute insouciance l'a quitté. Il ne croit plus en la légèreté de l'être et se méfie comme de la peste de toute interprétation « intellectuelle » de l'existence.

Il a fait l'expérience, de l'intérieur, sur le tas, que des trois fonctions de la prison définies par Michel Foucault dans son livre *Surveiller et punir* : celle d'élimination, celle d'expiation et celle de sanction, la seule qui atteint vraiment son but est la première, la fonction d'élimination. Les deux autres n'atteignent pas leurs objectifs, puisque, ainsi que le lui a précisé son ami François,

lorsque l'on prend connaissance des chiffres de la récidive (70 % pour les 18-30 ans), l'échec est patent.

La seule question alors qui se pose est de savoir s'il faut en finir avec la prison telle qu'elle a toujours existé, telle qu'elle existe aujourd'hui, et en cas de réponse positive, se demander comment et par quoi la remplacer.

III - VERS UN NOUVEAU PAYSAGE CARCÉRAL
(Propositions)

Chapitre XIV

La prison pour quoi faire ?

Cette réflexion commune sur l'intérêt des prisons au cœur de notre société ultra-moderne montre tout d'abord qu'il est possible de faire dialoguer des professionnels (l'avocat, et le fonctionnaire de l'AP) qui ont pour habitude de se regarder en chien de faïence.

Le respect du contradictoire qui meut les fondements mêmes de nos institutions judiciaires est ainsi respecté.

Avec un journaliste-éditeur, ils livrent donc ici, en commun, dans ce document, leur sentiment sur la place de la prison dans l'arsenal répressif de la justice de notre pays.

Le fonctionnement, l'épanouissement de notre société reposent sur un contrat social, ce n'est un secret pour personne.

Au fil du temps et au gré de l'évolution des mœurs, l'État édicte des lois que chaque citoyen se doit de respecter, sous peine d'être considéré comme un délinquant.

Il est d'ailleurs intéressant de remarquer que des faits qui n'étaient jamais réprimés, tels que le financement occulte des partis politiques, les attributions préférentielles de marchés publics, les emplois fictifs dans l'administration, les commissions distribuées à des intermédiaires pour des contrats passés avec des pays développés ou en voie de développement, et même la délivrance à de hauts fonctionnaires de fonds spéciaux en espèces à titre de primes, sont devenus en vingt ans des actes de délinquance organisée.

Depuis toujours en revanche, la corruption était admise par la société comme un mal nécessaire, afin de pouvoir gratifier fonctionnaires et intermédiaires pour leurs services rendus dans la conquête de marchés nationaux et internationaux notamment.

Ce fut le temps de la rude loi du rock and roll capitaliste.

Las ! certains petits princes pressés de la politique, obnubilés par l'écho réduit aux acquêts de leur réussite, se rêvant en Machiavel, se mirent dès le début des années 80 à jouer à ce sujet les apprentis sorciers. Comment ? En dénonçant ces pratiques. Pourquoi ? Parce qu'ils croyaient en agissant ainsi pouvoir éliminer durablement leurs adversaires.

Bien mal leur en a pris, puisque cette arme se révéla un boomerang fatal qui leur revint en pleine poire sous l'impulsion de certains juges trop contents d'arbitrer ces querelles et de redorer leur blason, en assénant des mises en examen et des placements en détention provisoire à tour de bras. Le pouvoir, cela ne se partage pas, mesdames, mesdemoiselles, messieurs. Ces juges eux aussi voulaient en croquer.

L'ordre moral était de retour. Les médias s'en firent d'ailleurs très vite l'écho et menèrent enquêtes et contre-enquêtes, souvent à la place des juges, parfois avec leur complicité, sans craindre de provoquer le cas échéant quelques vacillements de la République.

Faire place nette devint le credo. *Tabula rasa,* la maxime. L'opération *mains propres*, en France comme en Europe, en Italie principalement, était lancée.

Les juges et les médias, pouvoirs encore récents, font aujourd'hui trembler tous les hommes politiques, jusqu'au chef de l'État en personne, même si durant son septennat il se trouve désormais à l'abri de poursuites.

Certains d'entre ces hommes politiques ont été ou se trouvent encore en prison afin de répondre de faits reconnus maintenant comme des infractions pénales graves.

Sans se lancer dans une savante étude socio-historique, force est de constater à la lumière des quelques exemples évoqués plus haut, que l'idée, le concept de délinquance ont évolué avec le temps, subissant d'importantes mutations.

Les délinquants d'hier ne sont plus forcément ceux d'aujourd'hui et *vice-versa*.

La population carcérale, *elle aussi,* a changé de visage.

Officiellement les prisons se vident.

En l'an 2000, elles comptaient quarante-trois mille détenus. Ils étaient cinquante-six mille en 1995.

Au début de l'an 2000, mille huit cents personnes purgeaient leurs peines à la maison d'arrêt de la Santé. Aujourd'hui, elles ne sont plus que mille cent cinquante.

Pourtant, selon les statistiques du ministère de l'Intérieur, en 2000, la criminalité a augmenté de 5,3 %.

Le sentiment d'insécurité gagne dans les villes et même dans les campagnes.

On sait déjà que les élections présidentielles à venir cette année se joueront en partie sur la teneur des propositions des candidats pour endiguer la montée de la délinquance et principalement celle des jeunes. Le dossier de la sécurité en sera l'un des principaux enjeux.

Un constat s'impose en matière d'efficacité du traitement des délinquants. Il est brutal : 70 % des jeunes hommes âgés de dix-huit à trente ans qui accomplissent leurs peines dans les geôles françaises récidivent.

Comment lutter contre ces rechutes, comment les dissuader de recommencer ?

Le modèle suédois
(Les exemples portugais, espagnol et hollandais)

L'exemple des prisons-auberges suédoises est saisissant en la matière, d'autant que **la Suède** est un membre à part entière de la Communauté économique européenne.

Dans ce pays d'Europe du Nord, l'idée que l'on se fait de la prison et du rôle dévolu aux établissements pénitentiaires est aux antipodes de la conception française.

Il suffit entre autres pour s'en convaincre de visiter là-bas ces établissements.

Les Suédois n'ont pas honte de leurs prisons. Ils ne pratiquent pas à leur égard la politique de la confidentialité

Ce sont des prisons accessibles à tous, ouvertes, dont ils parlent volontiers, qu'ils ne cachent pas. Des brochures illustrées (ressemblant d'ailleurs à des prospectus ou à des revues touristiques) sont publiées régulièrement sur chacune d'entre elles. En Suède l'on consacre beaucoup d'argent aux établissements pénitentiaires et l'on en est fier.

Lorsqu'un Français pénètre dans l'un de ces établissements il doit faire un petit effort pour réaliser qu'il se trouve bien dans une prison. D'abord, le lieu n'est pas entouré de murs rébarbatifs, mais d'une double clôture électrique de trois mètres de haut, qui présente l'avantage de ne pas créer de rupture visuelle avec le monde extérieur. Le contraste avec les prisons françaises est encore plus frappant dans les prisons suédoises construites depuis peu.

Les personnes incarcérées à Fresnes ou à Fleury-Mérogis goûteraient sans doute la vue que l'on a des fenêtres de Täby au nord de Stockholm. Située sur une colline surplombant un bras de mer bordé de verdure, cette prison est équipée de peu d'ouvertures côté route. Non pour des raisons de sécurité, mais – délicate attention ! – pour que les détenus ne soient pas incommodés par le bruit de la circulation.

Chaque « résident » se voit attribué sa « chambre ». On ne parle pas ici de cellules, ce sont de véritables chambres à coucher. La pièce, de dimensions raisonnables, offre un aspect coquet. Le dessus de lit est assorti aux rideaux de la fenêtre. Celle-ci, en verre triplex (sécurité oblige !), ne s'ouvre pas, mais le système de ventilation fonctionne parfaitement : on peut avoir confiance en la technique suédoise.

Le mobilier est intégré dans les décrochements muraux : une table, un bureau devant la fenêtre (sur lequel repose une lampe inclinable), une armoire-penderie et un lit en bois clair assorti.

Une peinture murale (un tableau), et quelquefois, un vase de fleurs posé sur le rebord de la fenêtre contribuent à égayer l'ensemble.

Chaque chambre est dotée d'un lavabo et d'un W-C séparés par une cloison.

Des unités de vie : douches, salles de séjour équipées d'une kitchenette où certains « résidents » peuvent se préparer un en-cas, complètent le dispositif de ces chambres.

Unités de vie pourvues d'une télévision, de tables pour lire, écrire ou jouer aux cartes, de confortables fauteuils et d'un système d'éclairage d'ambiance adaptable à ces différentes activités.

À chaque étage une buanderie est aménagée avec des machines à laver le linge. L'on y trouve aussi une salle de jeux et des cabines téléphoniques à partir desquelles les détenus peuvent appeler avec de simples pièces de monnaie.

En Suède donc, une volonté délibérée de se démarquer des traditionnels établissements carcéraux, d'édifier de nouvelles prisons à visages humains, de véritables maisons, se dégage de l'ensemble, tant sur le plan architectural que sur celui de l'aménagement intérieur.

Dans des établissements comme celui de Täby, le « séjour » (la détention) n'a pas pour but de punir les condamnés ni de les exclure de la société mais, au contraire, de les préparer à un retour à la vie libre dans les meilleures conditions.

Tout cela est bien louable, nous direz-vous, mais quels sont les résultats du « traitement » que suivent les condamnés dans ces aimables « prisons-hôtels » ? Le taux de récidive dans ce beau pays baisse-t-il année après année ? Les contribuables suédois ont-ils ou non à regretter l'emploi de leur argent dans ce secteur ?

Notre réponse sera une réponse de Normands : oui et non. Certains détenus se réinsèrent sans problème et retrouvent leur place dans la société suédoise. D'autres, surtout les jeunes toxicomanes, ne sont pas aussi aisément réadaptables, surtout dans une grande ville comme Stockholm. Et puis, la nature humaine étant ce qu'elle est, de nouveaux délinquants remplacent les précédents, ceux qui ont mis fin à leurs activités délictueuses.

L'exemple suédois a ceci d'exemplaire qu'il montre bien qu'il n'y a pas de mal à « rendre » aux hommes la dignité qu'ils ont perdue en commettant des actes de délinquance. Témoigner un peu d'humanité aux détenus n'est jamais vain.

Le modèle suédois, comme souvent dans les pays nordiques, apprend aussi aux « Latins » que nous sommes que le traitement de la délinquance peut s'exercer autrement, même si nous le jugeons trop « hygiénique », trop « chic », trop « bienveillant ».

Au Portugal, ***chaque*** cellule est munie d'une douche et de W-C séparés.

En Espagne, ***chaque*** détenu a le droit de téléphoner au moins une fois par semaine à un membre de sa famille.

En Hollande, des bungalows ont été mis en place depuis plusieurs années à l'entrée des centres de détention afin de permettre aux couples de jouir d'un peu d'intimité.

Devant de telles constatations des questions se posent sur la situation actuelle dans les prisons françaises. Y répondre suppose que l'on ne fasse plus l'économie d'une réflexion sur le thème de l'individualisation de la peine.

Le placement en détention est-il la mesure la mieux adaptée à chaque cas ou catégorie de délinquance ?

La société se défend-elle efficacement contre les troubles à l'ordre public en enfermant (à temps) les contrevenants ?

Des solutions substitutives à la prison peuvent-elles, doivent-elles être mises en place afin de garantir une meilleure prise en charge des délinquants ?

Chapitre XV

Les détenus « sans-papiers » (La situation des étrangers en prison)

PLUS D'INTÉGRATION = MOINS DE DÉTENUS

Il est de notoriété publique, et les statistiques du Conseil de l'Europe le prouvent, que 30 % des détenus en France sont des étrangers.

Cependant, ces données du Conseil de l'Europe ne permettent pas d'isoler au sein de l'ensemble des détenus étrangers ceux qui sont seulement incarcérés pour des raisons administratives – entrée et séjour irréguliers sur le territoire. Cette distinction serait pourtant essentielle dans l'analyse du phénomène.

L'on saurait ainsi immédiatement qu'au cours de ces dix dernières années, à cause de ces étrangers se trouvant en situation irrégulière, la France a connu un accroissement deux fois plus important du nombre de ses détenus de nationalité étrangère, que de ses détenus de nationalité française. Actuellement, ils représentent 10 % de la population carcérale contre 2 % en 1984.

Ces chiffres bruts, cette statistique apparemment accablante est exploitée sans autre explication – brute de coffre – dans des slogans haineux, par les extrémistes les plus xénophobes. Ils leur permettent de rejeter la responsabilité de la criminalité en France sur les « autres », les étrangers.

Certains n'hésitant pas à dire qu'il faudrait tous les expulser du territoire français, ces étrangers, pour vivre en sécurité.

Il faut savoir que le fait de ne pas respecter une mesure administrative de quitter le territoire français, ou de ne pas se conformer à un arrêté de reconduite à la frontière, ou à un arrêté d'expulsion, *est* considéré comme une infraction passible d'une peine d'emprisonnement.

Refuser d'embarquer dans un avion après une mesure de reconduite ou d'éloignement c'est aussi commettre une infraction passible d'une peine d'emprisonnement.

Les peines infligées pour ces délits sont en moyenne de six mois d'emprisonnement ferme.

Est-on sûr que la très très grande majorité de ces hommes et de ces femmes, animés du désir de s'installer d'abord clandestinement dans notre pays, soient auteurs d'un tel trouble à l'ordre public que la détention soit la seule solution pour éviter la récidive ?

Ils ne représentent pas une vraie menace pour la société et, pourtant, ils sont jetés en prison avec de vrais criminels. Souvent, ces clandestins sont animés du seul désir d'échapper à la misère qui sévit dans leur pays, et ne rêvent que d'une chose, qu'il leur soit donné le temps et les moyens de pouvoir régulariser ici leur situation. Ce ne sont pas des terroristes. Ces derniers ne manquent de rien, ni d'argent, ni de faux papiers à profusion. Ce sont simplement de pauvres gens pour qui la France représente l'Eldorado et qui souhaitent y travailler dans la légalité.

Il y a beaucoup trop d'étrangers en situation irrégulière dans nos prisons.

Ces « sans-papiers », par définition, ne peuvent pas travailler puisqu'ils ne disposent pas de titres de séjours.

Ils doivent souvent assumer la charge d'une famille qui peut être nombreuse, voire élargie.

Bien sûr, au même titre que les citoyens français auteurs des mêmes méfaits, quelques-uns d'entre eux nuisent à la communauté nationale quand ils sont auteurs d'infractions diverses, notamment quand ils s'en prennent à la propriété d'autrui.

Bien sûr, au même titre que les citoyens français auteurs des mêmes méfaits, quelques-uns d'entre eux nuisent à la communauté nationale lorsqu'ils détroussent les petites vieilles, rackettent et dealent à la sortie des écoles, volent des voitures, cambriolent, subtilisent habilement les portefeuilles des touristes dans les gares, les aéroports ou les transports en commun.

Or, pour eux, pour ces sans-papiers délinquants, les peines et sanctions sont plus lourdes, plus sévères, environ 20 % plus élevées que pour des nationaux. Ce pourcentage est la preuve d'une inégalité patente – selon que l'on soit Français ou étranger – devant la justice.

En plus de la première condamnation massue évoquée plus haut, ces justiciables particuliers sont aussi condamnés à une peine complémentaire : une interdiction du territoire français après avoir effectué leur temps d'incarcération. On les reconduit donc dans leur pays d'origine à leur sortie de prison.

Ce système de sanction est dit « système de la double peine ».

Une faillite morale, une aberration sociale et économique !

La détention de ces « étrangers » a un coût : cent vingts francs par jour et par détenu prélevés dans la poche du contribuable et un billet fourni par l'État afin de les acheminer vers leur pays d'origine.

Pourquoi un non-Français devrait-il être victime d'un délit de statut, prolongement du délit de faciès qu'il lui arrive de subir au quotidien et se voir infligé une peine plus lourde que les nationaux ?

Ces pratiques mortifères, car elles génèrent souffrances et désespoir, ont pour résultat de pousser les sans-papiers à entrer vraiment dans la clandestinité dès leur sortie de prison.

Et c'est l'engrenage. Très vite la plupart d'entre eux se retrouvent détenteurs de casiers judiciaires tellement fournis d'interdictions du territoire français ou d'arrêtés d'expulsion, que chaque contrôle effectué par les services de police est synonyme de retour en détention. Malheureusement, la prison se révèle parfois, pour ne pas dire souvent, l'école du crime, sans distinction ni d'origine, ni de nationalité.

C'est le système du puits sans fond.

Ils se cachent pour survivre et tombent alors dans les travers de la dure délinquance.

Cette situation est l'illustration de l'inefficacité du dispositif mis en place pour lutter contre les entrées et les séjours illégaux des étrangers sur le territoire français. Un dispositif dont les coûts sont élevés et qui finit en outre par générer bien involontairement – effet pervers – des délinquants.

Pourquoi sont-ils si nombreux ces étrangers qui ne sont jamais expulsés de notre territoire ?

Est-ce en raison d'un coupable laxisme ainsi que nos concitoyens les plus extrémistes essaient de nous le faire croire ou est-ce à cause d'une incapacité chronique de nos gouvernants à mettre en place une politique efficace, si tant est qu'elle existe ?

Il n'est pas si difficile de demeurer sur le territoire français sans papiers.

Il suffit de ne jamais donner sa vraie identité aux services de police, de n'utiliser que des « alias » – terme consacré –, c'est-à-dire de faux noms.

Aujourd'hui, quand un étranger se voit notifier un arrêté de reconduite à la frontière, la police ne peut le reconduire qu'avec l'accord de son pays d'origine qui doit d'abord l'identifier comme étant bien un ressortissant de son État.

Si l'identification est négative, le pays consulté refuse la reconduite et la préfecture est obligée après dix jours de relâcher l'étranger.

Ainsi on le voit « donner » une fausse identité chaque fois que l'on est interpellé permet de ne pas être identifié par son pays d'origine et d'être immédiatement remis en liberté.

Il faut être un sacré naïf pour penser qu'il est possible d'expulser tous les clandestins de France, et ne pas craindre de faire preuve d'une sacrée mauvaise foi en le clamant tout haut.

Comment ? À l'heure où les statistiques du CREDOC nous apprennent que la plupart des étrangers installés en France, où ils accomplissent tout ou partie de leur vie professionnelle, retournent dans leur pays une fois l'âge de la retraite atteint, la société française serait tant sous l'emprise de funestes phobies racistes qu'elle ne pourrait accueillir les trois cent mille étrangers qui tous les ans désirent pour un temps s'installer sur son territoire ? Allons bon !

Ce flux migratoire aurait pourtant pour conséquence de rajeunir notre population, ce dont nous avons bien besoin.

Munis d'un titre de séjour, ces étrangers travailleraient, paieraient des charges sociales, des impôts, consommeraient, et participeraient à l'essor économique national.

Leur présence serait une chance pour la France et non un handicap.

Les courbes des statistiques de la criminalité des étrangers s'inverseraient évidemment et le pourcentage des délinquants issus de leurs rangs ne serait sans doute pas plus élevé que celui des Français.

Résultat : la population des prisons françaises connaîtrait enfin une évolution sensible, à raison de dix mille détenus en moins chaque année. Le sentiment d'insécurité actuel décroîtrait sans doute aussi.

Chapitre XVI

Les toxicos à l'ombre

CRÉER DE VÉRITABLES CENTRES DE SOINS

Rachid est né en France, il est de nationalité tunisienne.

Il est né dans une de ces cités bien connues de la région parisienne.

Son père, ouvrier à la chaîne, a été victime, il y a maintenant quinze ans, d'un accident du travail qui l'a laissé handicapé pour le restant de ses jours.

Il traîne sa vieille carcasse entre le salon et la chambre de son appartement.

Rachid a quatorze ans. L'école ne le passionne pas. Il préfère danser, *se la donner sur du break dance* toute la journée, dans le hall de son immeuble, avec ses potes de toujours, ses poteaux de galère.

Un beau jour ils décident de monter un groupe, histoire d'aller plus loin, histoire de voir…

Et ils sont bons ces petits banlieusards. Le succès vient.

Sidney, un Black en pleine bourre à la télé, le roi du hip-hop, les repère et les apprécie. Le célèbre animateur ne les lâche plus. Les émissions de télévision se succèdent.

Rachid devient une vedette dans sa cité, dans les autres aussi. Une vedette tout court.

Deux années passent. Du haut de ses seize ans, la jeune vedette trop vite grandie, prise dans le tourbillon, se sent parfois lasse, fatiguée du monde. Il gagne beaucoup d'argent, fait vivre sa famille : père, mère, frères, sœurs, mais tout cela est parfois bien trop lourd.

Puis un beau jour le ciel de Rachid se charge d'orage. La break dance passe de mode. *Tout a toujours une fin ici-bas* lui répétait quelquefois sa mère, *fais attention, pense à l'avenir,* mais il n'en avait cure, sûr de sa bonne étoile.

Les contrats se font plus rares et l'argent moins docile. La vraie galère commence. La vie écoute à d'autres portes et Rachid se prend à regretter d'avoir goûter aux fruits du succès, de la réussite éphémère.

Seulement leur souvenir est si doux qu'il s'accroche. Tant pis s'il les a déjà mangés, s'il n'en reste rien. Il se bat un temps, mais en vain. L'espoir le déserte et son quotidien lui devient odieux.

Afin de supporter tout cela, il emprunte d'étranges chemins de liberté, ceux de la came en tout genre et plus particulièrement celui de l'héroïne, du *brown suggar*.

Cette maîtresse de ses illusions a un prix. L'entretenir coûte cher. Consommer l'objet de ses désirs n'est pas donné. Bientôt, il ne peut même plus se payer ses doses. La garce devient rétive, disparaît, se refuse. Pour la garder, il est prêt à tout, y compris à dealer. Activité qu'il embrasse bientôt sans état d'âme, tant le charme vénéneux de son « héroïne » lui est vital.

Et notre Rachid deale, deale, deale, des grammes puis un peu plus, tout comme les Shadocks pompaient, pompaient, pompaient…

Financer sa dépendance n'est pas chose aisée, mais le jeune homme est prêt à tout pour elle.

Elle seule trouve grâce à ses yeux et dans son intempérance Rachid ne se montre pas assez discret.

Un jour funeste le voilà interpellé. Il n'a que dix-neuf ans.

Cet enfant de France sera condamné à trois ans de prison, avec en prime une interdiction définitive du territoire français.

En prison, il retrouvera son « héroïne » aux mille sortilèges. Sa drogue un peu plus chère à entretenir que hors les hauts murs.

Il « sniffera » néanmoins soir et matin comme avant. Car, dans la cour, il fera connaissance de copains d'infortune, de vrais dealers ceux-là, qui recrutent des « Rachid » aux fins de livraisons en échange d'un peu de produit, de *brown suggar*.

Aussi, dès sa sortie de prison, Rachid n'a aucun mal à se réinsérer. Il a un vrai boulot : chauffeur-livreur de stupéfiants !

La prison est vraiment salvatrice, pas vrai ? La réinsertion n'est décidément pas un vain mot !

Les statistiques du ministère de la Justice montrent que 40 % des infractions commises en France sont directement ou indirectement liées à la toxicomanie.

L'usage et le trafic de stupéfiants, l'« arrachage » de sacs à main, les vols à la roulotte, les cambriolages, les braquages de banques, de pharmacie ou de débits de tabac, sont dans la plupart des cas le fait de toxicomanes en manque qui cherchent de l'argent afin de consommer leur drogue.

La prison pour ce type de délinquants se révèle là encore une véritable école du crime.

Non seulement elle ne sert à rien en cette occurrence, mais pire, elle forme des générations entières de voyous, qui, les années passant, sont de plus en plus dangereux pour la société.

Ce ne sont certainement pas ces vertus pédagogiques-là que l'autorité judiciaire entend que les prisons dispensent.

Il ne faut pas réprimer, il faut soigner. Des centres dans lesquels ces jeunes pourraient être sérieusement pris en charge sur le plan physiologique et psychologique devraient être mis au point.

À l'heure actuelle, le délai d'attente pour obtenir une place dans un centre de post-cure est de plus de dix-huit mois dans les grandes métropoles.

On ne peut pas demander à un toxicomane en manque d'attendre tout ce temps sans être sûr qu'il ne rechutera pas.

Au Canada, en Hollande, en Grande-Bretagne, des expériences sont tentées.

De bonnes vieilles méthodes radicales sont employées. On isole par exemple les toxicomanes de leur milieu en les forçant à évoluer dans des conditions extrêmes, afin de remporter la bataille du sevrage.

Ils deviennent bûcherons dans les forêts canadiennes ou marins au long cours au cœur des océans.

Des psychologues et des médecins les encadrent et ont pour mission de les aider à se reconstruire.

Ces stages de désintoxication durent très longtemps de manière à les couper à tout jamais de leur source d'approvisionnement car souvent leurs dealers rodent et profitent de la moindre occasion – un retour auprès de leur famille par exemple – pour les démarcher à nouveau.

À l'issue de ce traitement de choc, interdits de séjour dans leur ville, ils sont pris en charge – ailleurs – par des éducateurs qui les aident à se former et à trouver un emploi.

Que nous rappelle, pour ne pas dire nous enseigne, cette thérapie ? Que les toxicomanes sont de vrais malades au même titre que les handicapés moteurs ou mentaux que l'on doit accompagner jusqu'à ce qu'ils puissent renouer avec une vie plus saine, plus digne.

Cette thérapie peut durer cinq, voire dix ans, le temps qu'il faudra pour que le toxicomane soit définitivement guéri.

Traduction sur le terrain d'une authentique volonté politique, elle n'est pas utopique, au contraire.

A-t-on songé en France, un gouvernement a-t-il pensé à faire évaluer le prix que paye la société afin que cette délinquance soit gérée (police, justice et administration pénitentiaire) ?

Un tel budget ne serait-il pas mieux employé s'il servait à mettre en place des structures d'accueil dont le fonctionnement résulterait d'une concertation permanente avec tous les ministères intéressés ?

La politique menée en ce domaine au Canada, en Hollande, en Italie et en Grande-Bretagne va dans ce sens et le nombre de récidivistes (toxicomanes et délinquants) est beaucoup moins élevé.

Le cas de Rachid que nous évoquions plus haut n'est pas isolé. Aujourd'hui, comme d'autres toxicomanes, il erre de squat en squat, cherchant à vendre ou à acheter sa came infernale.

En situation irrégulière, la fuite en avant lui sert d'hygiène de vie, avec pour tout espoir celui de ne pas se faire prendre.

Un jour, ainsi que beaucoup d'autres, on le retrouvera mort dans une Sanisette, du côté du quartier des Halles à Paris ou dans un autre quartier chaud de la capitale, une seringue dans le bras.

La France sera alors débarrassée de Rachid pour de bon et personne ne se souciera plus de lui, pas même les membres de sa famille avec lesquels il a définitivement coupé les ponts.

Ces propos ne sont pas un scoop. L'actualité, depuis longtemps, ne met plus à la une les Rachid, Didier, Ariel ou Moussa, victimes un jour ou l'autre de leur addiction. Cela ne doit pas nous empêcher de nous indigner et de dénoncer les gouvernements successifs de la cinquième République qui, d'une part, n'ont jamais voulu mettre en œuvre les moyens nécessaires pour régler le problème des toxicomanes-dealers, et de l'autre, agitent le chiffon rouge sang de l'insécurité en guise de slogan électoral.

Chapitre XVII

La petite musique des chevilles cassées

OBJECTIF : RÉINSERTION RÉCIDIVE 0

L'absurdité touche parfois à son comble lorsque la prison prend en charge des hommes et des femmes qui ont dérapé pour la première fois dans leur vie...

Petite illustration par l'exemple du thème : *c'est arrivé un jour...*

Début de la leçon de choses vécues : lui, appelons-le L'homme, rentre au domicile conjugal le soir. Il vient d'apprendre que sa femme le trompe.

Il traverse le petit jardin de son pavillon dont il paye les traites depuis de nombreuses années, se dirige vers le petit cabanon où il a rangé ses outils et là se met à pleurer, n'en pouvant plus. Il sanglote sur lui, il pleure sur elle pour qui il a tant fait, cette « salope » qui l'abandonne seul au bord du chemin.

Il gémit et sent soudain le poids des ans. D'un coup, là, sa carcasse de cinquantenaire lui pèse. Il s'est tant battu, dans des combats peu glorieux, pour réussir sa vie professionnelle, pour offrir à sa famille ce qu'il pensait être le mieux !

Ce soir, il mesure l'inanité de tout cela.

Il entrebâille la porte en bois qui grince, jette un coup d'œil à l'établi sur lequel reposent limes et marteaux. Son regard effleure ensuite avec lassitude les scies et les haches soigneusement accrochées au mur.

Dans une autre vie il était fier de montrer toutes ces merveilles aux amis qui venaient le visiter de Paris.

Mais ce soir, cette fierté s'est évanouie. Ces merveilles lui paraissent bien vaines, et sa fourbure se double d'un sentiment vivace d'humiliation. Une peine atroce le chavire, un besoin de justice irrépressible, une envie de vengeance.

Il décroche une hachette récemment achetée, la prend en main et se dirige vers la porte d'entrée du pavillon dans un état second.

Parvenu sur le seuil, il introduit la bonne clef dans la serrure, puis après cela ne s'appartient plus. C'est le trou noir. Sa femme repasse dans le salon devant son émission préférée. Il s'approche, la regarde sans la voir. Elle n'a pas le temps de prononcer une seule parole. Pas un seul mot. Quels ont été ses derniers mots ? À qui les a-t-elle adressés ? On ne le saura jamais. Car elle se retrouve allongée sur le tapis, à plat ventre. Et l'homme frappe, frappe à nouveau. Des coups redoublés à la tête, puis partout, ça et là. Il ne sait plus ce qu'il fait. Le sang gicle, s'emparant de la pièce.

Elle est morte, il s'assied sur le canapé. Dans le poste Laggaf continue de se livrer à quelques facéties dont il a le secret. L'homme s'ébroue. Il semble revenir peu à peu de cet ailleurs infernal de lui-même. Sur son visage un air de résignation remplace bien vite celui de l'étonnement. Il se lève, se dirige vers le téléphone…

L'homme attend la police, prostré sur le canapé. Il ne regarde pas en direction de la morte. Il sait que sa vie vient de basculer. Il a tout perdu en une fraction de seconde.

Deux jours après il se retrouve en prison. Il n'en ressortira que huit longues années plus tard.

La population des hommes et des femmes qui comme lui ont perdu l'espace d'un instant le contrôle d'eux-mêmes et sont devenus des meurtriers d'occasion représente moins de 1 % des détenus en France.

Quelle est l'influence de la prison sur ses ex-honnêtes citoyens et citoyennes, qui, le plus souvent pour des raisons passionnelles, sortant de leurs gonds, ont basculé de l'autre côté, bousillant leur vie ?

Ces *chevilles cassées* – ainsi sont-ils surnommés dans le milieu judiciaire –, outre le poids de leur culpabilité qui y contribue aussi, vivent le plus souvent un enfer dans les établissements pénitentiaires.

Ils ne sont pas « taillés » pour : ils se font racketter, passer à tabac, deviennent les « boniches » des autres détenus, subissent les pires humiliations, bref, payent comptant, dans leur tête et dans leur chair, un prix exorbitant à la détention, bien plus élevé que celui « acquitté » par certains de leurs codétenus multirécidivistes du crime, experts en crapuleries en tout genre. Cela nous pouvons vous le garantir, nous les côtoyons à longueur de vie professionnelle.

Ces *chevilles cassées* sortent de taule – expression consacrée – dévastés, détruits parfois à jamais, différents à coup sûr. Leurs tentatives de suicides à l'intérieur ou à l'extérieur des murs sont d'ailleurs légion.

Il faut avoir le courage de le dire : dans leurs cas, la prison n'aura servi à rien, sauf à assouvir l'appétit de vengeance des victimes et des familles de victimes. Il s'agit donc d'une prise en charge négative, le rôle de la prison s'avérant être d'éliminer et de se transformer en une machine à venger, à broyer, à tuer.

Ces hommes et ces femmes n'intéressent personne et pourtant ils remarcheront un jour dans la rue, réintégreront la société, celle de ceux qui criaient vengeance à leur sujet.

Nous sommes sûrs qu'il ne serait pas très difficile de convaincre nos concitoyens de l'absurdité de leur placement en détention.

Malheureusement, dire cela est souvent interprété comme un signe de laxisme au mieux ; de faiblesse, voire de connivence suspecte, très suspecte au pire.

Pourtant, notre objectif n'est pas de dénoncer l'absurdité de la prison en y substituant un dispositif de sanctions qui ressortirait du club de vacances.

Nous estimons simplement, que comme pour la délinquance liée à la toxicomanie, il serait nécessaire de concevoir des structures adaptées dans lesquelles les *chevilles cassées* pourraient être suivies et effectuer un véritable travail de réflexion sur le sens de leur peine, de leur dette envers la société, de la réparation qu'ils doivent aux victimes, etc. Un travail aussi de restauration de leur personnalité, durant des années si nécessaire, loin de la promiscuité de la catégorie de détenus dangereux que nous évoquions, sous le contrôle d'un juge *ad hoc*, pouvant s'appuyer sur le professionnalisme d'un personnel spécialisé. Psychiatres, psychologues, psychanalystes, spécialistes de la réinsertion en milieu social et professionnels représentants du tissu économique d'horizons divers en seraient des rouages essentiels.

La société moderne engendre des drames humains, elle doit les prendre en charge. Il en va de sa responsabilité.

Les familles des victimes de ces *chevilles cassées* devraient donc par voie de conséquence être aussi prises **effectivement** en charge par des équipes de spécialistes capables et désireux de les entendre, de les écouter, de les soutenir et de les aider à franchir les méandres du labyrinthe judiciaire.

Oui, la petite musique des *chevilles cassées* gagnerait à être mieux entendue, écoutée, mieux prise en considération dans nos prisons et par le système judiciaire, pour être sûr que par effet de contamination, de promiscuité, toute récidive soit rendue impossible.

Chapitre XVIII

Papa aime les petites filles et alors ? (La délinquance sexuelle)

SOIGNER : UNE VOLONTÉ POLITIQUE ET MÉDICALE

Depuis une vingtaine d'années et grâce au travail nécessaire d'associations telles qu'*Enfance et partage*, les langues se délient peu à peu, et les condamnations pour des délits ou des crimes à caractère sexuel ont été multipliées par dix.

Le calendrier de certaines cours d'assises est constitué à plus de 80 % d'affaires de viols ou d'incestes.

Alors que, paradoxe, les délinquants sexuels représentent moins de 5 % de la population carcérale.

L'affaire de l'un d'eux, dite l'affaire du « Petit Prince », jeune garçon d'une vingtaine d'années portant les cheveux longs, qu'il avait bouclés, mérite d'être évoquée afin de mieux illustrer les propos qui suivront.

Parloir après parloir, son avocat[1] lui posait toujours la même question : pourquoi, pourquoi, et encore pourquoi ? Et un matin, le jeune homme au visage si romantique, ses grands yeux bleus auxquels un regard un peu triste conféraient une séduction supplémentaire, plantés dans ceux de son défenseur, se décida.

Il venait, tout le laissait à supposer, de sniffer une bonne dose d'héroïne.

---

1. Pierre Lumbroso.

« Tu veux savoir pourquoi, hein ? lui demanda-t-il. Eh bien! Tu vas être servi. Attends, je vais te mettre ça en scène. Pousse-toi, j'ai besoin de place. »

Ahuri, il le laissa faire. Après avoir poussé la table contre le mur, et s'être assis, le Petit Prince se prit la tête entre les mains.

Au bout de quelques secondes de concentration, ce fut comme s'il ne voyait plus son avocat. Il n'était plus là, entre quatre murs. Il était parti, loin… Il râlait dans ce parloir sordide transformé par lui pour l'occasion en commissariat de police. Et il se mit à raconter, à mimer, à jouer son histoire.

* *
*

« J'ai mal à la tête.

Ce que j'ai mal à la tête !

Il est quelle heure ? Qu'est-ce que je fous là ? J'ai dû boire hier soir.

Je devais en avoir plein les narines. Qu'est-ce que je fous là, bon Dieu ? Ça pue.

Hé ! Ouvrez-moi, j'ai rien fait, pourquoi je suis là ?

Qu'est-ce que j'ai fait ?

Encore une petite fille que j'ai draguée dans le centre-ville ?

Je ne sais plus. Elle avait huit ou neuf ans ? Des petits yeux bleus, des toupies.

Un petit corps svelte, frêle, avec des pieds et des mains boudinés.

Encore une que j'ai dû emmener dans la cave n° 36 de la cité.

Encore des caresses, je l'ai sautée ? Non, pas moi, ce n'est pas moi.

Elle a rien dit, elle m'a regardé, je crois que je n'ai pas réussi à bander.

Non ! Pas cette fois-ci, ce n'est pas cela.

Pourquoi je l'ai sautée ? Elles m'excitent toutes.

Je n'ai pas fait ça hier. Pourquoi alors je suis ici ?

Elle avait une culotte blanche, très blanche. Je la lui ai retirée.

Pourquoi ? Pour la sauter. Bien sûr que je lui ai retiré sa culotte !

Je lui ai souri, je l'ai trouvée gentille.

Ce qui me rend fou c'est avant, pendant, ça n'a aucune saveur.

Après, je me dégoûte, mais je ne me lave jamais.

Pourquoi ? Pour garder son odeur le plus longtemps possible.

Ouvrez-moi, je vais leur expliquer que je suis comme ça et que c'est pas bien, mais que je ne peux pas faire autrement.

C'est vrai, la semaine dernière c'était l'anniversaire de maman, je venais de toucher ma paie.

J'ai acheté dix kilogrammes de Pal pour Stentor et puis je suis passé chez un fleuriste.

Je lui ai pris vingt roses rouges. Je suis allé chez elle et j'ai sonné. Je suis resté sur le pas de la porte. Elle a ouvert, elle m'a regardé avec des yeux mal réveillés.

"Bon anniversaire maman" que je lui ai dit. Et puis je lui ai tendu les roses. Elle n'a pas bougé, elle m'a regardé longuement, maman. Avec moi, elle ne sait jamais sur quel pied danser. Elle me le dit souvent, c'est vrai. Au bout de quelques secondes, elle m'a dit : "Dégage, je t'ai déjà dit que je ne voulais plus que tu viennes faire tes saloperies chez moi." Et elle a claqué la porte. J'ai regardé la porte fermée. J'avais l'air un peu con avec mes roses. Je les ai laissées devant la porte et je suis parti.

J'ai marché, je suis rentré chercher Stentor. Stentor, mon chien, un berger allemand de cinq ans. Il est beau, il est fort, il me plaît.

Je suis maître-chien. Je l'ai bien dressé.

Je l'ai sifflé, il a aboyé, nous nous sommes mis en marche. Il est monté dans la voiture, j'ai roulé jusqu'en haut de la colline qui domine la ville.

Cette ville où je suis né et qui ne m'a rien donné.

Là-haut, il fait bon, Stentor aime courir là-bas. Il court très vite dans la campagne.

On a fini par s'arrêter. On s'est regardé. On s'aime. Personne ne me croit quand je dis qu'il m'aime.

Je sais qu'il m'aime.

Je l'ai couché sur le flanc. Il respirait fort, encore tout essoufflé par sa longue course.

Son pénis était à peine sorti, une petite forme rosée. Je l'ai caressé, j'aime le caresser et je sais qu'il aime cela. Quand il aime, il gémit et il me regarde fixement comme pour me dire continue.

J'ai continué.

Je sentais sa bite grossir entre mes mains. Je bande, ça y est, je bande comme lui, je me suis dit.

Au bout de quelques minutes, j'ai approché ma bouche et je l'ai sucé. Il a éjaculé au fond de ma gorge, c'était bon.

Ensuite, j'ai défait ma braguette. Il a vu mon sexe en érection. Bien dressé. Je lui ai dit « lèche, lèche » et il l'a léché.

On est redescendu en ville après. Ça allait mieux. Comme j'étais bien.

Qu'est-ce que j'ai fait cette nuit ?

Où est Stentor ? Merde, il va avoir faim, il faut que je sorte.

Qu'est-ce que vous me dites ? Vous me dites que je suis sorti hier soir vers 22 heures, que je me suis rendu à la *Pagode*, comme chaque vendredi soir, histoire de rencontrer un homme qui me lâcherait quelques billets contre une “gâterie” ?

J'sais pas. J'sais plus.

Je me suis assis au bar. Il y avait du monde et plein de bruit partout. De la fureur. La musique était forte. J'étais seul, le nez dans mon whisky Coca avec toute cette furie autour, cette fièvre.

On est venu me proposer, je me suis fait une ligne. Une longue ligne de rêve vers l'infini qu'il s'est enfilé le Benoît. Au bout de quelques minutes j'étais bien, en pleine forme.

Ça y est, je me souviens. Je l'ai vu, il était seul, tout seul à une table. Il avait l'air con, mais j'aime les cons. J'étais persuadé qu'il en avait une très grosse, très bonne.

Je me suis approché de lui, je lui ai parlé. Il n'était pas trop bavard.

Il avait une drôle de tête de près. Une espèce de gros nez qui lui prenait tout le visage, des petits yeux très enfoncés dans des orbites glaciales. Le visage très rond et très blanc avec un menton proéminent, des cheveux sales et noirs. Un gros, très gras.

J'ai parlé. Je parle beaucoup quand j'en ai un peu dans le pif paraît-il. Je lui ai proposé un verre. Il a pris un whisky Coca, comme moi.

J'ai compris qu'on allait s'entendre. Lui, il ne parlait pas, il grognait comme un ours.

Putain de merde ! Ils vont venir m'ouvrir ? Ça y est, un “képi”. Je me suis levé, j'avais mal à la tête.

Qu'est-ce que j'ai fait ? Qu'est-ce que je fous ici ?

Pas de réponse... On m'a fait rentrer dans un bureau. Un flic en face de moi derrière une machine à écrire. Je sais pas si c'était le même, celui qui m'a parlé de la *Pagode*. J'ai dû vraiment déconner, parce qu'ils ont l'air sérieux, du genre on est pas là pour rigoler.

"Nom, prénom, âge, qualité."

J'ai mal à la tête. J'ai pas envie de répondre. Benoît Durand, vingt-six ans, maître-chien. Non, je n'ai jamais été condamné.

Je ne me souviens pas de ce que j'ai fait cette nuit. Il est quelle heure ?

À un moment le gros s'est levé. Il s'est dirigé vers l'escalier qui conduisait aux chiottes et au téléphone. J'ai tout de suite compris. Je l'ai suivi et on est descendu. Il est rentré dans les chiottes des hommes et moi aussi.

Il m'a demandé combien ? Je lui ai répondu deux cents. Il a dit OK et il m'a tendu un billet.

Il s'est déboutonné, a sorti sa grosse queue flasque – elle était grosse, oui elle était grosse – et je l'ai sucé.

"Fini, on a fini" que je lui ai dit après. Il s'est rhabillé. Je me suis rincé la bouche et nous sommes remontés.

Il a payé les deux whiskies, mis son manteau et s'est dirigé vers la sortie.

Il était con ce mec. J'avais pas fini, j'avais pas envie de partir, j'avais pas envie qu'il parte, j'étais prêt à lui en faire toute la nuit.

C'est pas possible, il va pas partir comme ça que je me suis dit. Il va pas me laisser là comme une vieille pute après avoir tiré son coup. Attends mon pote, tu vas voir. J'aurais pu te tuer en bas si j'avais voulu, espèce de con.

Je suis sorti du bar comme une fusée. Je l'ai repéré facilement, il marchait lentement. La rue n'était pourtant pas bien éclairée. Je l'ai suivi, discrètement. Je ne voulais pas qu'il me voie. Je voulais savoir qui il allait rejoindre. Peut-être une femme, sa femme. Peut-être qu'il avait des enfants, une petite fille, un petit garçon ?

Il a descendu l'avenue Garibaldi, a tourné à droite, et nous nous sommes retrouvés sur les quais le long de la "Ramuse", après avoir pris un petit escalier de pierre.

On n'y voyait rien. Il faisait très noir à cette heure-là.

J'ai continué à le suivre. On est passé devant un pont, puis un autre. Je me suis rapproché. Je ne savais pas s'il m'entendait, mais je crois bien que je m'en foutais.

Il n'y avait personne aux alentours. On était seuls lui et moi. Sous le troisième pont, l'obscurité était telle que je n'y voyais plus rien du tout.

Je me suis mis à avancer précautionneusement, avec un mauvais pressentiment tapi au fond de la gorge.

Tout d'un coup, une ombre a surgi, puis une tête monstrueuse, fumante dans l'air glacé. Cette tête s'est plaquée contre la mienne, des lèvres cherchaient ma bouche. Je déteste ça. C'était effrayant, ce gros nez déformé par le froid se jetant sur moi.

Je me suis débattu, puis j'ai pris ce que j'ai trouvé à portée de main et j'ai tapé, tapé tant et plus pour ne plus voir ce visage, pour ne plus sentir cette bouche sur la mienne.

Il est tombé à genoux. Il y avait du sang, beaucoup. Sur lui, sur mes mains, sur mes habits.

J'ai continué à le frapper. Il s'est affalé. Il n'a pas crié. Sa tête a heurté violemment le pavé. Il ne s'est pas relevé.

Quand je me suis réveillé, j'ai constaté les dégâts. Je venais de lui lacérer le visage avec une bouteille en verre. C'est tout ce que j'avais trouvé pour qu'il arrête de m'embrasser. J'aime pas qu'on m'embrasse. Sa carotide avait été sectionnée. C'est pour ça qu'il y avait du sang partout.

Enculé ! Je lui ai dit, t'en voulais plus, eh bien regarde où ça t'a amené !

Il était allongé sur le dos. J'ai regardé la forme qui pointait dans le nid de sa braguette et j'ai rigolé.

Je me suis baissé, j'ai ouvert et j'ai sucé. C'était encore chaud.

Il ne s'est plus rien passé, je suis parti, j'ai marché.

Après je me suis retrouvé chez vous.

Qu'est-ce que je viens de dire ? C'est la vérité, pourquoi ne pas la dire ?

Le flic pas commode m'a demandé de signer ma déposition. Il est "blanchounet" maintenant le flic. J'ai dû lui retourner l'estomac de bon matin.

Connard, va ! Je te la signe ta déposition.

En prison, j'ai dragué les matons, j'ai vendu mon cul pour du *shit* ou quelques "képas" d'héroïnes. J't'aurais bien baisé toi l'avocat, t'as presque mon âge et t'es mignon. »

Benoît Durand, le visage tourné vers son défenseur, à peine sorti des lointains où l'avait plongé sa saisissante évocation de son récent passé meurtrier, optait maintenant pour le cynisme et la provocation. Histoire de rendre son présent plus supportable. Le moi est tellement haïssable dans certains cas !

« Un matin, le gradé m'a appelé.

Je suis descendu avec lui, c'était pour l'expert. Je savais qui c'était. Il connaissait déjà l'histoire. Il est resté vingt minutes, m'a posé des questions sur mon père, ma mère, mes frères, sur mon enfance et mon travail.

Je t'en ai parlé à l'époque. Tu m'as dit que c'était normal et que je n'avais pas à m'inquiéter.

Deux ou trois mois après, tu étais comme fou. Tétanisé. Tu as brandi le rapport d'expertise sous mon nez.

Je n'étais pas un dément. Cela avait l'air de t'époustoufler.

Benoît, vous vous rendez compte, que tu m'as dit, malgré tout ce que vous avez raconté, tout ce que vous avez fait ; malgré les douleurs, les difficultés, les pulsions dont vous m'avez parlé, ils considèrent que vous êtes parfaitement normal. Selon eux, vous avez des tendances perverses et violentes, juste de quoi aggraver votre cas devant la cour d'assises.

J'avais pas osé lui parler à l'expert. Il est venu vingt minutes, je ne le connaissais pas et tu aurais voulu que je lui balance mes rêves, mes fantasmes et toutes mes conneries, monsieur l'avocat. J'avais rien à lui dire…

Et tu m'as informé de la venue d'un autre expert.

Un mois après, ce dernier est effectivement venu. Il m'a posé les mêmes questions que le premier. J'ai répondu, il avait l'air encore plus pressé. Lorsqu'il allait partir, j'ai quand même osé lui raconter mes histoires. Il m'a écouté pendant dix minutes. J'avais certes des problèmes importants, mais je devais, m'indiqua-t-il, suivre le règlement, faire une demande auprès du service médical de la prison pour pouvoir consulter un psychiatre toutes les semaines.

Ce que je lui racontais n'avait aucun rapport avec les faits qui m'étaient reprochés. Cela sortait de sa mission telle qu'elle était définie par le magistrat instructeur.

Voilà. Tu voulais savoir, tu sais. Mais moi je sais que tu ne sais rien. T'en sais pas plus sur moi que tout à l'heure. Même moi j'y comprends rien.

Pourquoi j'suis là ? Pourquoi ? »

Et le Petit Prince se leva avec brusquerie renversant sa chaise...

* *
*

Au bout du compte, dans cette affaire, le second expert requis remit au juge, à peu de choses près, le même rapport que le premier.

Les conclusions de ces rapports demeurent incompréhensibles.

Benoît était dément au sens de l'article 64 de l'Ancien Code pénal, il aurait donc dû être déclaré pénalement irresponsable et aurait dû être pris en charge par un établissement spécialisé.

Ce qui ne fut pas le cas.

Son histoire, il l'a racontée plusieurs fois au juge d'instruction.

Il a signé tous les procès-verbaux d'interrogatoires.

Ce qui ne l'a pas empêché d'attendre très longtemps son procès.

Des jurés tournèrent de l'œil devant les photographies de l'autopsie de sa victime.

L'avocat général se déchaîna à l'audience.

En revanche, le président du tribunal, compatissant, se montra presque paternel à son égard.

Le second expert vint déposer tôt à la barre, l'après-midi du premier jour d'audience. « La cour doit savoir affirma-t-il que je ne suis pas là pour juger des faits commis par M. Durand. Chacun en conscience se fera sa propre idée de cette affaire. Mon rôle est de vous expliquer en quoi son comportement peut être considéré comme irresponsable au regard de la loi pénale.

« À la question de savoir si, au moment où monsieur Durand a commis cet acte, il se trouvait en état de démence, ma réponse est non[1]. Sans aucun doute.

« Il était, je l'affirme, tout à fait conscient, et a commis avec discernement les faits qui lui sont ici reprochés. Je le déclare donc pour ma part accessible à une sanction pénale.

« Ma mission d'expert comporte un second volet. Celui de savoir si la responsabilité de l'accusé peut être atténuée par des éléments de sa personnalité qui pourraient expliquer son geste.

« Ma conclusion est simple. Cet homme est pervers et violent. Il est dangereux et l'on peut craindre qu'il ne récidive. »

L'expert avait fait son métier. Le Petit Prince fut condamné à une peine de réclusion criminelle à perpétuité assortie d'une peine de sûreté de dix-huit ans.

Un an après sa condamnation, il fut transféré à la maison d'arrêt de Fresnes, plus précisément au Centre national d'observation (CNO).

Ce centre pourrait passer pour une sorte d'hôtel dans la prison de Fresnes, un petit nid douillet où seraient transférés tous les condamnés définitifs à une peine supérieure à dix années de réclusion criminelle. Benoît Durand y resta un mois pendant lequel il fut soumis à toute une batterie de tests d'aptitude et de connaissances. Il y eut aussi des entretiens avec des psychiatres.

Il y apprécia le docteur Garambois, un psychiatre qui avait l'air de comprendre ce qu'il lui disait. Il l'écoutait au moins. Ils se rencontrèrent deux ou trois fois et le Petit Prince fit part de ses observations à son défenseur.

Cet avocat était sorti écœuré du procès. Certes, les faits jugés étaient difficilement supportables, mais justement, la justification de son métier se trouvait dans de tels cas renforcée. Chacun a droit à une défense. Le droit français repose sur ce socle fondamental.

---

1. État de démence : l'article 122-1 du Code pénal dispose que n'est pas pénalement responsable la personne qui était atteinte, au moment des faits, d'un trouble psychique ou neuropsychique ayant aboli son discernement ou le contrôle de ses actes. Cela veut dire que l'accusé sera reconnu coupable des faits qui lui sont reprochés mais qu'il n'en subira pas la sanction. Il sera interné dans un hôpital psychiatrique et n'en pourra sortir qu'après avis d'un collège d'experts et l'autorisation expresse du préfet.

Or, une fois encore, cet avocat se trouvait confronté au rouleau compresseur de la machine judiciaire. Un arsenal fonçant droit vers l'objectif que s'était fixé initialement le juge d'instruction. Il n'avait pu parvenir à sensibiliser les jurés. Il n'avait pas su les convaincre qu'un homme sain d'esprit n'aurait pas pu agir de la sorte.

Un matin, alors qu'il rendait visite à son client au CNO, le docteur Garambois le prit à part et lui affirma que le Petit Prince était cliniquement un pervers polymorphe, un fou qui n'aurait jamais dû être condamné. Ce malade, continua-t-il, n'était pas responsable de ses actes. Privé de toute capacité de discernement, il était incapable de refréner ses pulsions.

Le docteur Garambois lui parla d'inconscient et de sur-moi. Puis se montra sévère à l'endroit de ses deux confrères experts : « C'est une honte que deux experts psychiatres aient pu tour à tour affirmer que ce garçon était accessible à une sanction pénale. Il devait être soigné, un point c'est tout. Nous sommes ignorants : personne aujourd'hui ne comprend le passage à l'acte dans les affaires sexuelles concernant les enfants. Personne ne comprend réellement pourquoi ce garçon a tué ce vague client un soir de février sous le pont de la Rabuse. Bien plus encore, personne, aussi doué soit-il dans sa spécialité, ne sait soigner ce genre de patient. »

Face à de pareils cas, il se trouvera toujours de bonnes âmes vertueuses pour réclamer le rétablissement de la peine de mort, pour clamer haut et fort que des vermines de ce type ne devrait plus avoir leur place dans la société des hommes. Nous persistons à croire que les suivre sur cette pente équivaudrait à un aveu d'impuissance. Fallait-il, il y a une centaine d'années, tuer tous les lépreux au prétexte que l'on ne savait pas encore soigner la lèpre ?

Ignorants, mais pas sots, les experts raisonnent autrement : ils ne savent pas soigner, alors ils ne peuvent pas prendre en charge. Admettre ces hommes ou ces femmes dans des hôpitaux psychiatriques oblige à disposer d'institutions et de personnels spécialisés. Enfermés dans leur chambre, les malades sont maintenus sous camisole chimique durant des années. Le budget nécessaire effraie sans doute.

Pourquoi après tout la société leur porterait-elle secours ? Et puis lorsqu'ils demanderaient à sortir, puisque les médecins n'auraient su ni comprendre, ni traiter leurs maladies, quel rapport présenter au préfet afin d'être sûr qu'il prenne la bonne décision ?

Ces hommes et ces femmes (très, très rares) ne sont que deux ou trois cents par an à être détenus pour des faits aussi graves.

Une coopération entre le ministère de la Santé et celui de la Justice suffirait à débloquer les crédits pour un programme de recherche et de soins.

N'a-t-on pas trouvé l'argent nécessaire pour soigner les handicapés mentaux, les malades du cancer ou ceux du sida ?

Il convient aussi de se poser la question de savoir s'il serait souhaitable de rayer ces hommes de la surface de la terre, ainsi que l'on élimine une ligne de crédits d'un trait de plume. En cas de réponse négative, il serait alors temps que la société française se donne les moyens de pratiquer une thérapie efficace.

Il ne sert à rien de jeter en pâture aux médias du monde entier ces affaires sordides et l'horreur qui en résulte lorsque ces malades récidivent. Il ne sert à rien non plus d'affoler les populations alors que les pouvoirs politiques ne se dotent pas des moyens nécessaires pour mettre fin à ces récidives.

Ce problème de société mérite d'être enfin traité avec sérieux. Faire l'économie de ce traitement nous place *de facto* en position de complicité avec ces malades, puisque nous laissons faire la machine à sécréter des victimes, puisqu'en raison de notre laxisme, nous contribuons à ce que les récidives se perpétuent.

Certains experts préfèrent, même s'ils sont persuadés du contraire, dire que les détenus, qu'ils ne voient pour la plupart qu'une demi-heure dans leur vie, ne sont pas atteints d'une maladie mentale et qu'ils peuvent être jugés et condamnés comme les autres. Condamnés à une forte peine de prison, ils sont transférés en centre de détention ou en centrale. Les experts refilent ainsi le bébé à la pénitentiaire. Quitte à dépenser, la prison revient tout de même moins cher.

Ces malades que l'on ne saurait voir en tant que tels purgeront ainsi leurs peines dans une structure réellement inadaptée et quand ils sortiront, au bout de dix ou quinze ans, leur état ne se sera pas amélioré. La maladie les aura un peu plus minés, rongés. Les brimades subies en milieu carcéral auront un peu plus exacerbé leur haine envers la société. Vous pouvez être sûr d'une chose : ils recommenceront, comme si rien ne s'était passé dans leur vie depuis leur dernier crime. Chacune de leur récidive ajoute à la liste déjà longue des échecs de la justice, des faillites de la prison, et non pas à ceux de la médecine.

Il faudrait un peu de courage et quelques moyens financiers pour faire en sorte que ces grands criminels malades, qui ne représentent que de 1 à 3 % des détenus en France, ne replongent.

Les médecins et les juges savent que ces hommes vont retrouver dès que possible le chemin du crime, puisque rien n'est sérieusement entrepris pour les en empêcher.

« Guérir, il faut les guérir. On ne le peut sans soins, sans moyens appropriés. » Le docteur Garambois avait raison.

Il n'y a pas si longtemps, l'avocat du Petit Prince a appris que son ancien client a été transféré aux Murets.

Là-bas, il continue à se prostituer pour de simples boulettes de shit et attend la douche avec toujours autant de frénésie.

Les agresseurs sexuels du type Petit Prince sont des récidivistes en puissance nous dit la presse à sensation en mal de scoop.

Une partie de la classe politique utilise d'ailleurs la peur que peut inspirer cette population pour en faire son fonds de commerce électoral.

La prison à vie, le rétablissement de la peine de mort pour les violeurs et les assassins d'enfants, ces mesures sont régulièrement réclamées par les associations de défense de mineurs et une partie de l'opinion.

Ce qu'il importe de comprendre, c'est que tant que le législateur ne prendra pas en compte la perversion, comme maladie psychiatrique au sens de l'article 122-1 du Code pénal ; tant que l'administration pénitentiaire se verra obligée de prendre en charge cette population qu'elle ne peut, pour l'instant, pas soigner, alors dès leur sortie de prison, ces hommes récidiveront.

Il serait utile, pour lutter contre la délinquance sexuelle, de créer des centres spécialisés et de disposer des moyens nécessaires pour faire avancer la recherche contre la perversion, cette maladie psychiatrique que les médecins sont capables d'identifier, mais incapables de soigner.

Il serait donc très judicieux que les hommes politiques en finissent une fois pour toute avec leurs discours démagogiques et que le gouvernement par l'intermédiaire du ministère de la Santé et du ministère de la Justice fasse voter une loi qui permette de dégager des crédits budgétaires pour enfin sortir de ce cercle vicieux.

Cette population de pervers polymorphes ne représente qu'environ un millier de détenus. La prison n'est pas pour eux un gage de réinsertion, loin de là. Toutes les affaires récentes l'ont largement démontré.

Chapitre XIX

Riches et détenus
(La délinquance en col blanc)

Il y a vingt ans, cette délinquance était encore marginale.

Parfois ici ou là une entreprise de travaux publics se fourvoyait dans une affaire de fausses factures ou quelques chefs d'entreprises peu scrupuleux tombaient pour avoir commis des abus de biens sociaux. Ces affaires-là représentaient tout de même l'exception.

Avec les années 80, vint le temps d'une surenchère politique et médiatique orchestrée par les principaux acteurs de ces deux secteurs afin de se rallier les faveurs de l'opinion publique et de déstabiliser leurs adversaires. Les « affaires » financières se mirent à fleurir. Les juges d'instruction se frottèrent les mains. Elles leur étaient livrées soigneusement empaquetées et mettaient souvent en cause des personnalités importantes de l'appareil d'État ou des milieux industriels.

Une vague qui emporta tout sur son passage et fut à l'origine de l'établissement d'un nouvel ordre moral.

La Cogedim, l'affaire URBA, les affaires Tapie, l'affaire Elf, l'affaire Crozemarie, aujourd'hui celles de la Mnef, de Thomson, celles de divers dirigeants de sociétés multinationales mettent en lumière une délinquance d'un type particulier, celle des hauts cols blancs, des VIP, réputés intouchables. Ils se sont même vu attribuer une division désormais célèbre à la maison d'arrêt de la Santé.

En contribuant à ce que l'État débloque les fonds nécessaires à l'établissement d'un pôle financier, dans un beau quartier de la capitale, à deux pas de l'Opéra et de la rue de la Paix, Mme Eva Joly, magistrat de haut lignage, figure emblématique de cette croisade anti-VIP, semble avoir poussé la justice à se donner enfin les moyens de ses **nobles** ambitions.

Malheureusement, dans les faits, dans le traitement ordinaire de ces affaires, elle a aussi contribué à officialiser une justice à deux vitesses.

En effet, dans ce type de dossiers, il se trouve que la mise en détention provisoire n'excède pratiquement jamais une courte période, et que la motivation non avouée, mais implicite, de l'incarcération par les magistrats est le chantage.

Les juges espèrent ainsi obtenir des révélations de la part des mis en examen.

Écrasés par la prison, ces derniers sont placés sous contrôle judiciaire avec obligation de déposer préalablement à leur libération une forte, voire très forte caution.

Le rôle de la prison dans le cas présent est complètement détourné de son but initial.

Comment croire que dans ces conditions la prison poussera ces mis en examen à s'amender ou à expier leur faute ? La peur d'y retourner poussera peut-être une partie d'entre eux à ne pas récidiver, s'ils sont les auteurs des délits qui leur sont reprochés…

Bien sûr gît dans l'inconscient collectif l'idée que « ces gens-là » sont des personnes comme les autres et qu'ils doivent au même titre que les autres – les petits voleurs par exemple – payer le prix fort, c'est-à-dire « séjourner » en prison.

Mais il y a la volonté du juge d'instruction qui sait parfaitement que ces prévenus-là ne supporteront pas la détention – elle leur est insoutenable – et qu'après quelques semaines ou quelques mois tout au plus de traitement carcéral, certains n'hésiteront pas à avouer ou à dénoncer, même au détriment de la vérité, pour se soustraire de cet enfer.

Cette cynique méthode érigée maintenant en principe de droit canon par les magistrats porte un nom : celui de chantage à la détention.

Si l'on suit le raisonnement des magistrats qui préjugent ainsi ces prévenus, ce qui est contraire à l'esprit et à la lettre du Code pénal, tout devient limpide : ils ont péché par cupidité, qu'ils soient châtiés de la même façon. Ils doivent s'acquitter d'une caution élevée pour comprendre que tout ne leur est pas permis, qu'ils ne sont pas tout-puissants.

Une mesure simple pourrait en tout cas être prise à l'encontre de ces délinquants de haut vol en cols blancs, durant tout le temps de l'instruction de leur dossier par le magistrat.

Ils devraient *sys-té-ma-ti-que-ment* être mis au service des plus humbles, sous le contrôle d'un juge !

Oui, mettre leurs connaissances à la disposition de ceux qui en ont besoin se révélerait rapidement d'utilité publique. Ce serait pour eux une manière positive de rembourser leur dette à la société, beaucoup plus constructive que de croupir dans une cellule sordide, en attendant que le temps passe.

Il suffirait pour cela de les obliger par exemple à travailler pour des associations à but non lucratif d'utilité publique ou d'autres organismes ou structures, dans des domaines aussi variés que ceux de la recherche médicale, la recherche d'emplois, l'environnement, l'aide aux handicapés, etc. De nombreuses formules pourraient être envisagées, adaptées aux réalités socio-économiques nationales, afin que toutes les compétences des détenus, diplômés ou non, puissent être mis au service de la société. Il est évident que des équipes du ministère de la Justice en coopération avec des associations de tout type et autres organismes ou sociétés élaboreraient une multitude de projets constructifs auxquels ces délinquants pourraient prendre part.

Le tribunal déciderait ensuite, dans le rendu de son jugement, s'il y aurait lieu de maintenir ou non cette mesure.

Imaginez Bernard Tapie, Christine Deviers-Joncour ou Loïc Le Floch-Prigent, tel ou tel patron d'une grande entreprise, tel ou tel homme politique, tel ou tel cadre supérieur, tel ou tel avocat, médecin, ingénieur, etc., dans la cité d'une banlieue défavorisée – ou dans une ville mieux lotie – en train de mettre en œuvre des projets conçus avec les jeunes, la municipalité, les différents acteurs concernés et le réseau associatif de l'endroit, pour lutter par exemple contre la toxicomanie ou… la délinquance, l'analphabétisme, etc. ; ou tout simplement pour développer un projet original, d'un autre type !

Gageons qu'au bout de quelque temps la vision du monde de ces VIP s'en trouverait changée. Que les surprises seraient nombreuses et agréables.

Gageons aussi que les projets aboutiraient et contribueraient à améliorer les conditions de vie dans ces banlieues.

Certes, de nos jours, chacun des établissements pénitentiaires français collabore avec une association socioculturelle et sportive, agréée par le ministère de la Justice, dont la vocation est de mettre en œuvre des actions propres à favoriser l'insertion sociale des détenus.

Certes une dizaine d'associations nationales prennent part à la mission de réinsertion des détenus et des personnes suivies en milieu ouvert :

– l'ANVP (Association nationale des visiteurs de prison) ;
– Auxilia (enseignement par correspondance) ;
– la FARAPEJ (Fédération des associations réflexion-action prison et justice) ;
– CLIP (Club informatiquepénitentiaire) ;
– le Courrier de Bovet (correspondance avec les détenus) ;
– le GENEPI (Groupement étudiant national d'enseignement aux personnes incarcérées) ;
– la FNARS (Fédération nationale des associations d'accueil et de réadaptation sociale) ;
– l'Armée du salut ;
– le Secours catholique ;
– le Secours populaire français.

Mais ce partenariat demeure très localisé, parcellaire.

Humaniser les sanctions, les adapter à certaines réalités sociologiques, économiques, non pas pour rendre plus facile la vie des délinquants, mais pour recycler leurs compétences afin qu'ils puissent réparer, rendre à la société le plus possible de ce qu'ils lui ont extirpé, volé, dérobé, voilà pour l'esprit d'une réforme en profondeur du système judiciaire et pénitentiaire.

Chapitre XX

Les professionnels de la détention (La délinquance professionnelle)

OUI : LA PRISON FAUTE DE MIEUX

Nous touchons là au cœur du problème. Les délinquants professionnels représentent environ 5 % des détenus en France.

Sans nous livrer ici à une étude sociologique, psychologique, voire criminologique des milieux du grand banditisme et du terrorisme, nous pouvons dire, avec l'expérience qui est la nôtre, que ces délinquants – ces hommes, ces femmes –, à un moment ou à un autre de leur vie (pour les uns depuis toujours), ont fait le choix délibéré d'entrer en délinquance et en assument les conséquences, en toute connaissance de cause. Ce sont des multirécidivistes professionnels.

Il s'agit pour eux d'un choix de vie.

Pire encore, bien souvent, ils évaluent les suites et les retombées possibles des actes délictueux qu'ils projettent de commettre en fonction des peines prévues par le Code pénal.

Envisageant toutes les hypothèses, ils calculent et prévoient les sommes d'argent dont ils auront besoin en prison pour faire vivre leur famille (à l'extérieur) dans de bonnes conditions. Ils estiment aussi les sommes qui leur seront nécessaires pour cantiner durant des années en toute tranquillité et ajoutent à tout cela les honoraires de leur avocat pour un long bail.

Ils désignent et placent qui de droit, chargé de gérer leurs affaires jusqu'au jour de leur sortie et envisagent alors l'incarcération la conscience presque tranquille, sereinement.

Ils ont su en apprécier la probabilité. Ce facteur-risque est inhérent à leurs activités, ils en planifient donc les tenants et les aboutissants, les conséquences.

Les délinquants professionnels, ces acteurs du grand banditisme, ce sont outre les terroristes, les mafieux, les équipes de braqueurs, les spécialistes des machines à sous, du saucissonnage, les portes-flingues, les proxénètes, les escrocs d'œuvres d'art, les équipes de cambrioleurs…

Plus de deux cents dossiers relatifs au terrorisme se trouvent aujourd'hui en cours d'instruction au tribunal de Paris. Vingt-cinq d'entre eux concernent ETA ; une trentaine les islamistes ; plus de cent les Corses ; les autres concernent entre autres les autonomistes bretons, les Kurdes du PKK, et le Moyen-Orient. Une centaine de prisonniers impliqués dans des affaires de terrorisme sont aujourd'hui incarcérés en France, dont plus de quarante Corses en détention provisoire et une quinzaine d'islamistes[1].

À part ces terroristes, dont certains surveillants ont peur, les délinquants professionnels ne sont en principe pas systématiquement dangereux pour les citoyens, à quelques exceptions près, – notables tout de même –, des événements récents le prouvent, ayant entraîné la mort violente de policiers ou de simples citoyens. Ces « malfrats » font le plus souvent partie de réseaux structurés et bien organisés.

Ils représentent certes un danger pour l'ordre économique et l'ordre publique, mais ils règlent leurs comptes entre eux et vivent dans des circuits parallèles où l'on ne rencontre pas les honnêtes gens. L'on peut cependant observer que dans un nombre croissant de procédures, ils semblent ces dernières années avoir noué des rapports très étroits avec certains milieux d'argent.

Comment dès lors les sanctionner ? Quelles sanctions faudrait-il arrêter afin que ces acteurs du grand banditisme ne récidivent pas ?

Nous l'avons vu, revers de la médaille, mais moindre mal, la privation de liberté, l'incarcération en milieu pénitentiaire n'empêche pas dans leur cas la récidive.

---

1. Selon le magazine *L'Express* du 25/10/2001.

Au contraire, les cours de promenade restent des lieux propices aux rencontres, à l'enrôlement et à la préparation des aventures, des « coups », des méfaits, les plus fous.

Pourtant, à part la prison qui les soustrait de leur terrain de « travail » favori, les empêche *grosso modo* de nuire, et leur fait perdre de l'argent, aucune autre sanction ne nous paraît adaptée. Toute tentative de réinsertion se révèle bien aléatoire. Ces professionnels, ces hommes de la marge, ont la récidive dans la tête. Leur système de valeur échappe au commun.

Dans l'état actuel des choses, force est de constater que l'administration pénitentiaire n'a pas d'autre choix que de prendre en charge ces délinquants professionnels, qui, en règle générale, posent plutôt moins de problèmes que d'autres « catégories » de détenus.

Cependant, la musique est différente lorsque de maison d'arrêt ils se retrouvent transférés en maison centrale.

Là, ils doivent purger de très lourdes et très longues peines, sans aucun encadrement psychologique et moral. Aujourd'hui, aucun d'entre eux n'en sort indemne, du plus coriace au plus assisté. Le système actuel les transforme tous en sous-hommes. D'une manière ou d'une autre. La machine à tuer qui ne dit pas son nom ne rate pas sa cible. Nous l'avons vu, chaque année le nombre de suicides ne cesse d'augmenter en prison, de même que le nombre d'évasions et d'agressions contre les personnels.

Il faudrait leur apporter la « connaissance », afin de leur permettre d'envisager un rapport différent avec leurs enfants, seul lien qui leur reste souvent avec la « vraie vie ».

Rendre obligatoire cet accès à la connaissance, en instaurant en prison un programme drastique de formation continue, dans tous les domaines, avec au bout des diplômes qualifiants, permettrait de lutter efficacement contre leur déconnexion du réel et humaniserait à coup sûr la vie quotidienne en prison. La célèbre expression *Stop la violence !* trouverait là tout son sens et la non-récidive serait au bout du chemin. Il s'agit d'un choix de société. Nous devons tous accepter d'en payer le prix, même si cela comporte des risques. Mais sommes-nous prêts à cela, le voulons-nous vraiment ? Le système pénitentiaire ne nous satisfait-il pas tel quel, au fond ?

Au contraire, les moins d'[illegible] protégés [illegible] des [illegible]
[illegible]
compagnie des [illegible] les plus [illegible]
Pourtant, à partir du présent qui [illegible] de l'augmentation de [illegible]
[illegible]
[illegible]
[illegible]
[illegible]

Dans l'état actuel des choses, [illegible] que l'administration [illegible]
[illegible]
[illegible]
[illegible]
[illegible]

[illegible]
[illegible]
[illegible]
[illegible]
[illegible]
[illegible]
[illegible]

Il [illegible] de leur [illegible]
[illegible]
[illegible]

[illegible]
[illegible]
[illegible]
[illegible]
[illegible]
[illegible]
[illegible]
[illegible]
[illegible]

IV - CONCLUSION
(Au vif citoyens !)

Chapitre XXI

De quelques considérations après inventaire

Avant de terminer d'écrire ce livre avec mes deux amis, je ne peux m'empêcher d'avoir une pensée émue pour ma mère et mes six frères et sœurs. Leur affection m'a toujours été précieuse, m'a insufflé de la volonté dans les pires moments. Ils sont ma patrie, mon centre, mon univers, mon *poteau-mitan* comme le dirait joliment Christian dans son cher créole si imagé. Grâce à eux je sais que je viens de quelque part...

Je tiens également à exprimer ma reconnaissance à M. Jean-Paul Bertrand, le patron des éditions du Rocher, qui a accepté de publier un homme aussi atypique que moi. Car mes doutes ne me lâcheront pas je crois jusqu'à la fin. J'en suis encore à me demander comment j'ai pu donner un sens à ma vie, en servant un système où le détenu, dans ce qui constitue son humanité la plus incoercible, est totalement nié, rejeté, bafoué. Oui, comment suis-je parvenu à continuer de rêver, d'espérer, d'aimer, en vouant mon existence à cette machine mortifère dont je n'étais pas dupe ?

Tout simplement parce qu'en dépit de tout, j'ai toujours été animé par de contingents idéaux républicains, qui me « transent » jusqu'à l'âme et me « lucident » l'esprit dans les pires moments : ceux de liberté, d'égalité et de fraternité[1].

---

1. Cet héritage républicain, je le dois à mon père. Ce langage d'aujourd'hui à mes neveux. Ça le fait, oui, ça le fait...

J'ai vu le monde évoluer. J'ai utilisé de nouvelles technologies. J'ai travaillé les années passant avec de nouveaux personnels, plus réfléchis, parfois plus instruits et évolués. J'ai également pu mesurer l'apport bénéfique des personnels féminins dans un milieu d'abord hostile, macho, homophobe, sans concessions. Mais cette évolution de l'institution est paradoxale : la prison se dote de certains atouts pour que rien ne change. Elle change afin que rien ne change.

Le débat entre les deux courants actuels de l'institution pénitentiaire, le sécuritaire et l'humanitaire, est un faux débat, perverti, vicié. Il n'aborde pas le problème de fond de la prison : celui de son existence même en l'état.

J'ai toujours entendu parler du bien-fondé de la prison, de ce que l'on veut y faire, des moyens à mettre en œuvre afin d'améliorer son fonctionnement, du sens de la peine, de l'insertion des détenus, de l'individualisation de la peine. Éternel refrain, vieilles lunes !

Aujourd'hui une fausse nouvelle théorie semble se dessiner : faire entrer l'État de droit dans les prisons, dans l'ordre pénitentiaire.

Une idée louable, progressiste, mais qui ne va pas assez loin, même si cet État de droit aura le mérite d'éviter ou de dénoncer d'éventuels dérapages ou abus. Car le nœud gordien est ailleurs, le nœud indéfaisable, inextricable. Il gît, il réside, il *est* dans la rupture définitive, la différence infinie, entre un être humain libre et un être humain incarcéré. Cette rupture est irréparable, irréfragable, consommée à chaque fois. La campagne électorale qui s'annonce, l'actualité de la chronique judiciaire le laissent supposer : l'État, sous la pression de l'opinion publique va devenir de plus en plus sécuritaire, policier, violent. Les peines prononcées seront de plus en plus lourdes, car les délits, les crimes seront eux aussi de plus en plus violents. Le chien qui se mord la queue, la réponse du berger à la bergère, en quelque sorte. **La prison occupera donc désormais la place du bourreau d'hier. On ne tue plus, on pousse vers la mort, la petite mort sociale.**

Et les personnels pénitentiaires dans ce système imposé ?

Ils continueront à être pris par la fièvre du délire de persécution (la seule chose qu'ils partagent avec les détenus !), seront minés intérieurement par la pensée d'accomplir un métier infamant, et seront emportés de génération en génération, balayés par le temps et son œuvre de sape, d'autodépréciation, avec un sentiment d'injustice et de mépris.

Les maux des pénitentiaires vont s'aggravant. Mais la maladie serait-elle pour autant incurable ? Les surveillants sont pris en otage par les différentes « réformettes » annoncées : hier, celles relatives au sécuritaire ; aujourd'hui celles reflétant une sensibilité humanitaire. Et demain ?

Eh bien ! demain, les pénitentiaires devront porter le fardeau de prisons ingérables. Comment en effet gérer l'état de désolation, d'abandon, de dénuement, dans lequel sont laissés les détenus ? Déjà, dans notre monde actuel (un monde d'une profonde tristesse), le personnel pénitentiaire n'inspire très souvent que dédain, mépris et rejet.

Si de profondes mutations ne sont pas mises en œuvre, demain comme hier ou aujourd'hui, ce personnel ne retrouvera quelques couleurs, un semblant d'existence, un vernis de solidarité, qu'après une série d'événements ou d'incidents graves : surveillants insultés, malmenés, agressés, blessés gravement, voire tués, prises d'otages, tentatives d'évasion, révoltes, etc. Sinon, en dehors de ces événements le soufflet retombe à chaque fois.

Ce ne sont malheureusement que des réflexes sécuritaires qui unissent les personnels et leur redonnent du tonus, du mordant. Alors, on bloque les parloirs, on s'oppose aux extractions des détenus, on installe les gros bras syndicaux aux portes des prisons, on multiplie les tracts dénonçant le laxisme ou l'angélisme ministériel…

Les incidents graves, parfois dramatiques, provoqués par les détenus constituent un terrain fertile pour les activistes pénitentiaires, les fous de sécurité, les garants de l'ordre moral, les répressifs de tout poil, les électrons de syndicats, les racistes, les haineux, les jaloux, les revanchards, les aigris.

Ces pénitentiaires sont indispensables au système. Ils le perpétuent, font tourner la machine, l'empêchent de s'arrêter. Animé de nobles idéaux j'ai mis longtemps à comprendre que rien ne sera jamais véritablement entrepris contre eux, parce qu'ils en justifient l'existence.

Les jours de pessimisme absolu, il m'arrive même de penser que l'institution pénitentiaire ne souhaite pas que les détenus se réinsèrent dans la société puisqu'elle ne va jamais au bout d'un projet cohérent – y compris financièrement – en la matière. Et que donc tous les beaux discours qui y sont relatifs sont trompeurs, mensongers, hypocrites. De la poudre aux yeux, encore une fois.

On demande, on ordonne, on exige que le détenu condamné à une longue peine prouve sa capacité à évoluer, donc à se réinsérer dans la société. Mais nous l'avons vu, dans l'état actuel des moyens mis à sa disposition, c'est souvent impossible.

On l'invite, on le pousse, à entreprendre ou à reprendre des études, à accepter un suivi psychiatrique, à se montrer déterminé dans sa volonté d'indemniser les parties civiles afin de le juger (encore et encore) sur sa capacité à construire son dossier de sortie, le sésame de la dernière porte. Pour ce marché, ce *deal*, ce contrat (de dupes) on le plie activement aux règles de l'institution en échange de la perspective d'une réduction de peine.

Certains, irréductibles, ne s'y plient jamais. Ce sont des rebelles, les derniers soldats de la sauvegarde de l'esprit, ceux qui réfléchissent trop comme Jacques Lesage de La Haye, ceux qui hantent les nuits des directeurs et des chefs de détention au point de leur donner de véritables cauchemars.

Avec les autres, quelques rescapés provisoires du système, on évoque des projets, on leur donne la parole – sous contrôle, bien entendu –, ils peuvent ainsi s'exprimer au travers de quelques activités ; on fait le point sur leur situation, sur leur capacité à prendre la mesure de la gravité des délits (crimes, etc.) qui les ont conduits en prison, et sur leur aptitude à se projeter dans l'avenir. **Chaque journée passée sans encombre est une journée gagnée pour l'institution.** Malheureusement, bien souvent, ce contrat se brise ainsi que tous les efforts consentis par le détenu sur les récifs du rejet de la demande de libération conditionnelle. L'État poussé par des pensées électoralistes refuse de mettre en œuvre efficacement la courageuse réforme de l'ancien garde des Sceaux, Mme Élisabeth Guigou, sur l'application des peines. Certains magistrats, estimés trop soucieux de s'en tenir à la lettre et à l'esprit de cette réforme, sont mutés ou subissent des pressions.

Ce refus, ce rejet, nie une fois de plus le détenu.

Certes, il n'a plus depuis longtemps d'identité. Il l'a perdue, après être passé des locaux de la police à ceux de la prison, dans les prétoires du palais de justice. Avec, si dur soit-il, toutes les fêlures, les blessures, le véritable séisme intérieur que cela suppose.

Un détenu n'existe plus. Il ne sera jamais plus un citoyen ordinaire, un citoyen tout court. Même du point de vue législatif, après sa sortie. Il ne sera plus rien. C'est à ce constat barbare et sauvage qu'il nous faut nous atteler au nom de nos si beaux principes d'humanité.

Que nos législateurs, nos politiques, nos juges, nos censeurs, nos concitoyens viennent passer plusieurs années en prison. Quelques jours suffiraient. Ils pourraient méditer et apprendre beaucoup sur les usages parfois primitifs, inhumains, de la police, de la justice, de la pénitentiaire. Le champ dévasté de la prison échappe au public. Il n'est pas visible par le citoyen. Il n'a guère de chance ainsi d'atteindre sa sensibilité.

La prison, il faut simplement la vivre, l'avoir vécue. Seuls les détenus peuvent en témoigner. Mais ils ne sont pas écoutés. Leur(s) raison(s) nous dépasse(nt), nous fait (font) peur. Un regard nouveau, lucide, loin de toute passion, devrait être porté sur la délinquance. Prendre la mesure de celle-ci sous la loupe unique de l'ordre moral (plus de justice, plus de police, une tolérance zéro) ne suffit pas. Cela ne nous conduira qu'à une société de plus en plus sécuritaire, une machine à fabriquer de l'exclusion, de plus en plus violente.

Pierre Lumbroso, Christian Séranot et moi-même, oui, nous sommes définitivement convaincus que la prison est inutile dans sa forme actuelle et que le système pénitentiaire est à repenser, à reconstruire, entièrement. Si cela n'a pas été encore fait, c'est peut-être parce que certains, à tous les étages de la hiérarchie, tiennent encore à préserver leur petite entreprise de corruption. Nous en sommes tous responsables et nous devons tous avoir le courage dans cette administration de nettoyer nos écuries d'Augias.

Pendant combien de temps encore pourrons-nous accepter, en tant que citoyens d'un pays dit démocratique (le pays des droits de l'homme et de la liberté) que derrière les hauts murs de la prison, l'on continue cette entreprise de démolition des détenus savamment orchestrée. Une opération de destruction par la négation totale du condamné, de son corps et de son esprit ! On enlève tout à l'homme ou à la femme détenu. La prison, le système continuent à tuer des individus, des êtres humains comme nous, d'une mort parfois lente, mais inexorable, la mort sociale, ciguë dévoyée de ces temps modernes.

La prison est bien une machine à nier et à tuer. Les détenus ne seront plus jamais des citoyens ordinaires, plus jamais des citoyens tout court, même après avoir payé leur dette à la société. Une société civilisée qui ne sait pas pardonner. Il ne faut jamais aller en prison. Chut ! Silence, malheureux ! Là, à deux pas de chez toi, on tue… Si, si, je t'assure.

Table des matières

II - L'ENFERMEMENT
(Le quotidien de l'exécution des peines)

III - VERS UN NOUVEAU PAYSAGE CARCÉRAL (Propositions)

IV - CONCLUSION (Au vif citoyens !)

Impression réalisée sur CAMERON par

BUSSIÈRE CAMEDAN IMPRIMERIES

GROUPE CPI

à Saint-Amand-Montrond (Cher)
en février 2002

Éditions du Rocher
28, rue Comte-Félix-Gastaldi
Monaco

Dépôt légal : février 2002. N° d'Impression : 020466/1.
N° d'Édition : CNE section commerce et industrie Monaco 19023

Imprimé en France